Poésies relig

Préface de J. K. H…ysmans

Paul Verlaine

Alpha Editions

This edition published in 2023

ISBN : 9789357956260

Design and Setting By
Alpha Editions
www.alphaedis.com
Email - info@alphaedis.com

PRÉFACE DE J.-K. HUŸSMANS

Mon intention n'est pas, en ces quelques pages, de parler, au point de vue littéraire, de l'œuvre de Verlaine. Cette étude a été mainte fois faite et, moi-même, il y a bien longtemps, en 1884, dans «A Rebours», alors que personne ne se souciait de l'écrivain disparu dans une tourmente, j'ai noté et tâché d'expliquer l'œuvre singulière de cet homme qui, après Victor Hugo, Baudelaire et Leconte de Lisle, est un de ceux dont l'influence fut la plus décisive sur la génération des poètes de notre temps.

Aujourd'hui, à propos de ce recueil de vers exclusivement religieux, extraits des volumes de «Sagesse», d'«Amour», de «Bonheur», de «Liturgies intimes» auxquels sont jointes quelques pièces posthumes, je voudrais simplement m'occuper de Verlaine, au point de vue catholique, essayer de dissiper le malentendu qui existe entre lui et les fidèles restés défiants pour sa personne et pour ses livres, faire comprendre, si cela était possible, qu'il ne fut pas l'impénitent pécheur qu'ils présument, affirmer enfin que l'Église a eu en lui le plus grand poète dont elle se puisse enorgueillir, depuis le Moyen-Age.

Unique, en effet, à travers les siècles, il a retrouvé ces accents d'humilité et de candeur, ces prières dolentes et transies, ces allégresses de petit enfant, oubliés depuis ce retour à l'orgueil du paganisme que fut la Renaissance.

Et cette ingénuité presque populaire, cette contrition si vraiment touchante, il les a traduites dans une langue étrangement évocatrice, avec ses détours et ses ellipses, une langue très peu compliquée et très bistournée, à la fois, usant de rythmes nouveaux ou rajeunis, achevant, après Victor Hugo et de Banville, de rompre les anciens gaufriers de la métrique, pour y substituer des moules d'une forme très particulière, des estampes très spéciales, aux touches à peine appuyées, aux empreintes tout juste perçues.

Parti, de ses premiers essais, de Baudelaire et de Leconte de Lisle, en quelques poèmes de Banville et, pour l'expression un peu mièvre de certaines doléances de sentiments humains, de Mme Desbordes-Valmore qu'il admirait peut-être plus que de raison, Verlaine n'avait pas tardé à secouer l'inévitable joug des débuts et sa personnalité s'était résolument attestée «lorsqu'il avait su exprimer de délicieuses confidences, à mi-voix, au crépuscule; seul, il avait su laisser deviner certains au-delà troublants d'âme, des chuchotements si bas de pensées, des aveux murmurés, si interrompus que l'oreille qui les percevait demeurait hésitante, coulant à l'âme des langueurs avivées par le mystère de ce souffle plus deviné que senti».

Et je citais en exemple, à la suite de ces lignes d'«A Rebours», une strophe célèbre maintenant des «Fêtes galantes». L'on pourrait y ajouter le sonnet des

«Poèmes saturniens» «mon Rêve familier» dont le tercet final est une décisive merveille:

Son regard est pareil au regard des statues

Et pour sa voix lointaine et calme et grave, elle a

L'inflexion des voix chères qui se sont tues.

Mais il n'a point usé que dans ses pièces profanes de ce mode d'enchantement; nous le retrouvons dans «Sagesse», au cours même des vers compris dans le présent volume.

Et l'air a l'air d'être un soupir d'automne

Tant il fait doux par ce soir monotone

Où se dorlote un paysage lent.

Et ceux-ci encore:

C'est vers le Moyen-Age énorme et délicat

Qu'il faudrait que mon âme en panne naviguât

Loin de nos jours d'esprit charnel et de chair triste.

Ne dégagent-ils pas les derniers vers de ces deux tercets une sorte de langoureuse consomption et de mélancolique vertige qui agit de même qu'une incantation dont l'occulte sortilège nous échappe? Évidemment, Verlaine est de tous les poètes celui qui est allé jusqu'aux extrêmes confins de la poésie, là où elle s'évapore et où l'art de la musique commence.

Victor Hugo, Théophile Gautier, Leconte de Lisle, de Banville, pour en citer quatre, se sont avancés, eux, jusqu'aux limites de la littérature et ont atteint la frontière de la peinture. Leurs mots peignent, suggèrent, mieux peut-être que les couleurs matérielles des peintres, les teintes et les lignes. Verlaine par une autre route a rejoint les douaires de l'art musical qui, plus éloquent par la force de son expression, pour traduire les cris de la douleur et de la joie, de l'admiration et de la crainte, est aussi, à cause même de ses contours imprécis et flottants, plus apte que la poésie à exprimer les sensations confuses de l'âme, ses vagues appétences, ses fugaces aises, ses subtils tourments.

La personnalité de Verlaine était entière déjà dans ses premiers livres; il l'a gardée intacte après sa conversion; il a mis au service de son repentir cette forme acquise et qui était toute prête et plus appropriée que toute autre pour narrer les attendrissantes douceurs des Retours et il a pu présenter ainsi à

Celui qui pardonne un bouquet de fleurs mystiques d'un tel arôme qu'il faut, pour en découvrir un autre aussi délicieusement odorant, remonter au temps de François Villon et aussi de Gaston Phœbus, de ce comte de Foix dont les prières sont de si familières excuses et de si touchantes plaintes.

Je n'ai pas à raconter ici la vie de Verlaine; il l'a décrite, en partie, lui-même, dans le verbiage d'une prose plus incorrecte encore que badine; il suffit de noter que dans l'une des plus sinistres crises de son existence, il se convertit.

Cette conversion qui eut lieu, pendant sa détention à la prison de Mons, il l'a relatée dans un volume intitulé «Mes Prisons».

> «Jésus, dit-il, comment vous y prîtes-vous pour me prendre? ah!
>
> «Un matin, le bon directeur lui-même entra dans ma cellule:
>
> «Mon pauvre ami, me dit-il, je vous apporte un mauvais message; du courage, lisez.

C'était un jugement de séparation de corps et de biens prononcé contre lui en faveur de sa femme par le tribunal civil de la Seine.

Et Verlaine ajoute:

> «Je tombai en larmes, sur mon pauvre dos, sur mon pauvre lit.»

Et, en une sorte de coup de fouet, la première stupeur passée, il se prosternait aux pieds du crucifix et, avec l'aide d'un brave prêtre, l'aumônier de la maison qui le confessa, il renversa de fond en comble sa vie.

C'est alors qu'il écrivit «Sagesse».

Sa peine d'emprisonnement purgée, il quitta la Belgique et revint en France. Le public ne le connaissait guère.—Personne ne se douta qu'une librairie catholique venait de faire paraître ce livre admirable, né dans une prison. «Sagesse» fut à peine mis en vente, si toutefois il le fut; son titre ne fut même pas inscrit sur les catalogues de la pieuse librairie qui se borna à mettre simplement sur la couverture sa marque et son nom. Puis, peu à peu ce recueil s'insinua dans le monde des lettres et fut lu par les profanes; les catholiques continuèrent de l'ignorer et lorsque, plus tard, quelques-uns s'aventurèrent à le lire, les bruits les plus fâcheux couraient sur le compte du malheureux poète. On parlait d'ivrognerie, de fréquentations inavouables, de séjours dans des hôtels louches, de stages dans les hôpitaux; il n'en fallut pas davantage pour faire nier l'authenticité d'une conversion très réelle, pourtant, n'en déplaise à cette atrabilaire ganache du nom de Doumic qui ne veut y voir «qu'une forme de l'énervement, qu'un cas de sensualité triste».

Pourquoi ne pas le dire, la situation d'outlaw de Verlaine dans le monde des croyants qui ne l'a pas lu, dure encore. J'ai entendu de braves gens déplorer même que l'on osât s'entretenir de poésie religieuse à propos d'un homme qu'une autre acariâtre mazette, un sieur Mordau, médecin juif et monomane de la folie, représentait «comme un effrayant dégénéré au crâne asymétrique et au visage mongoloïde, un vagabond impulsif et un dipsomane qui a subi la prison pour un égarement érotique, un rêveur émotif, débile d'esprit, qui lutte douloureusement contre ses mauvais instincts et trouve dans sa détresse parfois des accents de plaintes touchantes, un mystique, dont la conscience fumeuse est parcourue de représentations de Dieu et de ses saints, un radoteur dont le langage incohérent, les expressions sans signification et les images bizarres révèlent l'absence de toute idée nette dans l'esprit».

Dans ce portrait où le médicastre allemand assouvit surtout sa haine contre les mystiques qu'il traite «d'ennemis de la Société de la pire espèce», il ressort malgré tout cette vérité que «Verlaine lutta douloureusement contre ses mauvais instincts». Oui, il a lutté; il a été, la plupart du temps, vaincu; et après? quel est le catholique qui se croirait le droit de lui jeter la première pierre?

Et c'est à cela que j'en voulais venir, pour tâcher d'expliquer la bonne foi du poète et les difficultés matérielles qui surgirent lorsqu'il désira s'évader de cette geôle de vices qui le détint jusqu'à sa mort.

Verlaine, nous l'avons dit, s'est converti sous le coup d'une implacable souffrance; c'est un des moyens dont Dieu se sert le plus souvent pour ramener à lui les âmes. «La bonne souffrance», elle a été célébrée en de très émouvantes pages par un autre bon poète, François Coppée qui s'est, lui aussi, converti sous l'empreinte de la douleur, après une autre vie, par exemple!

La conversion de Verlaine fut donc entière. Il vécut alors dans sa cellule l'existence nouvelle des péchés déliés par le repentir et absous par le pardon; il ne fut plus le prisonnier mécontent des hommes mais le captif énamouré de Dieu; il éprouva les douceurs de cet été de la Saint-Martin de l'âme que le Seigneur réserve à la vieillesse rajeunie des siens; ce furent, pendant des semaines, des effusions de prières, des joies mouillées de larmes; comme tous les convertis, il fut gâté par la Vierge, roulé dans des langes de tendresse; il eut une avance d'hoirie sur les allégresses du ciel et il finit par juger la peine de sa détention trop courte. Aussi peut-on affirmer que sa résolution de vivre désormais honnêtement fut sincère.

Cette résolution, il l'a mal tenue, mais ses rechutes se comprennent pour peu que l'on veuille y réfléchir.

Personne ne fut plus mal armé que lui pour la lutte. Il était un grand enfant dont les accès de volonté ne duraient point. Il était, avec cela, jusqu'à un certain point, inconscient, lorsqu'il avait bu; c'est là, disons-le, la véritable cause de ses malheurs; il était épris des vertiges que suscite l'ingestion de cette sorte d'eau de bain de Barèges anisé, qui s'appelle l'absinthe; elle décageait, en lui, hélas! une bête malfaisante livrée sans défense à l'Esprit du Mal. Il le déplorait, se jurait de ne plus reboire et il rebuvait. Il n'eût pas certainement commis à jeun ces excès qui éloignèrent justement de lui sa femme et légitimèrent sa villégiature dans une maison de force. Pauvre Verlaine! en une page où il remâche les herbes amères du passé, il s'écrie: «cette absinthe, quelle horreur! quand j'y pense d'alors... et d'un depuis qui n'est pas loin, assez loin pour ma dignité, pour ma santé, pour ma dignité, pourtant plus encore, quand j'y pense vraiment!»

Il est évidemment facile pour les gens sobres de déclarer que l'on peut se guérir de cette maladie. Cela est possible, mais alors il aurait fallu que Verlaine vécût dans un autre milieu et cela, il ne le pouvait pas.

Si vous envisagez, en effet, sans parti-pris, sa situation, vous reconnaîtrez qu'il lui était bien malaisé de sortir de l'impasse où la misère l'avait acculé.

Il n'avait aucune fortune et était incapable de gagner son pain avec sa plume. Si beaux qu'ils soient, les volumes de vers n'alimentent point, à de rares exceptions près, leurs auteurs. Il écrivait, d'autre part, assez mal en prose et n'était nullement journaliste. Il ne pouvait donc songer à s'assurer la pâtée et le gîte, en plaçant des articles.

Il fallait alors, direz-vous, qu'il fît comme tant d'autres, qu'il exerçât une profession plus ou moins lucrative pour subvenir à ses besoins? Eh! il a donné, après son retour de Belgique, des leçons! mais ce morne négoce fut bientôt arrêté par l'état précaire de ses jambes. Ravagé par les rhumatismes, il claudiquait, se traînait sur une canne, restait, pendant des mois, étendu sur le dos, n'avait en dernière ressource que l'hôpital, lorsque ses infirmités s'aggravaient trop.

La misère, d'autre part, l'obligeait à loger dans des hôtels indignes et à subir des promiscuités dont il devait presque se montrer reconnaissant. Les filles du peuple, si tombées qu'elles puissent être, ont très souvent bon cœur. Ses voisines de chambre prirent sans doute parfois pitié de cet impotent et, entre deux promenades, s'installèrent chez lui pour qu'il s'ennuyât moins. Il en était de même des bohêmes désœuvrés du quartier latin. Fiers de fréquenter un homme dont le nom était connu, ils tuaient le temps près de son lit; et c'étaient des prétextes à boire, encouragés peut-être par le crédit des tenanciers de ces sortes de bouges dont le bas est d'habitude occupé par un comptoir où se débitent des verres de folie liquide pour quelques sous.

Comment le malheureux eût-il fait pour se soustraire à ces jougs quasi charitables et comment, une fois sur pieds, eût-il pu repousser l'amitié de gens qui lui avaient rendu de petits services, alors qu'il était alité, dans l'impossibilité de se remuer?

Ses traverses viennent aussi de là; la tentation alcoolique et charnelle était trop proche, trop continue, pour qu'il n'y cédât point.

Il eût fallu l'arracher de ces guêpiers, mais on l'y rencontrait rarement seul et il était difficile de lui montrer sa déchéance dans ce milieu de ribotes dont le contact suggérait aussitôt, si peu bégueule que l'on fût, une idée de fuite. Quelques amis plus sûrs tâchèrent cependant de le sauver, mais ils furent assourdis par l'antienne sans cesse répétée des brindes; et, d'ailleurs, on doit l'avouer, sous la pression des vapeurs de l'absinthe, Verlaine était indocile et buté; non, ce qu'il eût fallu, c'eût été de trouver un prêtre, embrasé par l'amour des âmes, qui pût prendre de l'influence sur lui et l'accueillir, comme la brebis perdue, lorsque, ayant recouvré la raison et las de lui-même, il s'acheminait en boitant vers l'Église. Dieu ne lui a pas dispensé ce prêtre…

Et puis… et puis… le goût de la solitude qui l'aurait pu préserver de ces hontes, est rare même chez ceux dont l'existence est, et réglée et douce. C'est une chose bien frappante que de voir, chez les artistes surtout, combien peu peuvent rester seuls avec eux-mêmes dans une chambre. Le besoin de causer, de se divertir les obsède à un tel point qu'ils préfèrent la compagnie du premier venu au silence de l'isolement. Un peu de vanité aussi, sans doute, s'en mêle, le désir de briller entre confrères et d'étonner, le prétexte même, parfois plausible, de faire jaillir des idées et des expressions, en vue d'un travail à entreprendre, dans le ferraillement des controverses et l'escrime des mots.

Mais la solitude, excellente pour quelques-uns, est, il sied de l'ajouter, pernicieuse pour beaucoup d'autres. L'aurait-elle été pour Verlaine? il le croyait; dans un de ses livres, il l'invective, déclarant «qu'elle porte malheur et est, par précellence, mauvaise, détestable, abominable conseillère».

Elle ne l'eût pas plus mal conseillé, en tout cas, que ce genre de monde qui l'entourait et au café et au lit!

Mais d'abord, nous l'avons expliqué, l'isolement dans un hôtel était—qu'il lui plût ou non—impossible; dans les garnis de bas étage où les infirmités vous clouent, dans la misère qui vous oblige à des crédits et à des emprunts, l'on subit plus sa destinée qu'on ne la fait.

Telle fut sa situation. Je n'ai pas à excuser ses passions maladives, j'ai à dire simplement—puisque ce volume s'adresse exclusivement aux catholiques—que le pauvre Verlaine fut plus à plaindre qu'à vitupérer. Il fut d'autant plus à plaindre qu'il avait des réveils de conscience, des remords, qu'il souffrait de cette existence à jamais gâchée. Ah! soyez assurés qu'il n'était point, dans ses moments lucides, altier et céruléen! il pleurait de dégoût sur lui-même; peut-être même buvait-il alors, comme tant d'autres, pour oublier.

Il ne se reprenait vraiment qu'en prison ou à l'hôpital; là il était bridé; c'est dans ces géhennes qu'il a composé ses poèmes mystiques; et l'on en arrive à regretter—et pour lui et pour nous—qu'il n'ait pas été plus souvent séquestré; mais voilà un souhait dont il nous eût été, de son vivant, peu reconnaissant, je suppose.

Les catholiques savent maintenant à quoi s'en tenir. Ils ont affaire à un homme plus malheureux que coupable et qui mérite toute leur pitié. Il fut un peu, de même que Villon, le faune des mauvais gîtes, mais, ainsi que lui, il eut la foi et il a magnifiquement chanté le Refuge des pécheurs, la Vierge.

Je ne veux plus penser qu'à ma Mère Marie,

Siège de la sagesse et source des pardons.

. . . .

Marie immaculée, amour essentiel,

Logique de la foi cordiale et vivace,

En vous aimant, qu'est-il de bon que je ne fasse,

En vous aimant du seul amour, Porte du ciel?

Et encore:

Marie, ayez pitié de moi qui ne vaux rien.

. . . .

Ah! vous aimer, n'aimer Dieu que par vous, ne tendre

A Lui qu'en vous, sans plus aucun détour subtil

Et mourir avec vous tout près. Ainsi soit-il!

Mais, à quoi bon citer des fragments? ces pièces figurent au complet dans ce volume et jamais de plus touchantes louanges n'ont été tressées à la gloire de Celle qui prépare les voies et remet les âmes à la fois lénifiées et éplorées, entre les mains de son Fils.

Elle fut généreuse pour lui et il lui demeura fidèle. Toutes ses chutes ne l'empêchèrent pas de la prier; et, en vérité, ce sont de splendides gerbes de prières que ces poésies d'humilité, que ces chants d'amour, bondis d'une âme où, en dépit de tant de fautes, le Seigneur s'est plu.

Et cela se conçoit. Jésus n'avait-il pas fait, de cette âme débile, une âme prédestinée, une âme d'élection; ne lui avait-il pas départi le don superbe de la poésie, car Verlaine ne fut pas, comme tant de grimauds de nos jours, un versificateur plus ou moins adroit mais bien un vrai et un grand poète. Et, à ce propos, une réflexion étrange, désagréable même, si l'on veut, s'impose. Il semble que les seuls gens de talent qui existent parmi les catholiques, soient des convertis, à commencer par Châteaubriand et par Veuillot. Il est à remarquer aussi que tous ceux qui ont utilement défendu l'Église et sa politique, n'ont pas été élevés par elle. Lacordaire, de Montalembert, de Falloux, de Broglie, Hello, Coppée, Drumont, Brunetière, sont tous sortis de l'Université, pas un seul des écoles cléricales. Mais alors cette impuissance des disciples des congréganistes à quoi tient-elle?

Elle tient, je présume, à l'esprit étroit, au bégueulisme fou, à la crainte des idées, à la panique des mots; on leur cache tout de la vie et on les apeure avant de les lancer dans la mêlée. Ils ont, avec cela, le sentiment religieux amorti par l'accoutumance; ils perdent les forces Eucharistiques par l'abus qu'ils en font; ils ne croient plus que par routine et, pris de scrupules, à la pensée de se défendre, ils se terrent, n'osant bouger, de peur de pécher contre la charité ou de perdre leur reste de foi; ou bien alors, ils sautent d'un extrême à l'autre, se révoltent et n'ont plus qu'un but, se venger sur leurs maîtres de la compression qu'ils ont, pendant toute leur jeunesse, subie.

Si nous nous plaçons, au point de vue plus particulier de l'art, nous pouvons convenir qu'il est à peu près impossible à des hommes disciplinés de la sorte de dégager le talent dont ils pourraient être nantis, de sa bulbe. Le talent a besoin pour jaillir de stimulants; il a besoin aussi pour pousser de grand air. C'est en lisant et en regardant autour de soi, sans baisser continuellement les yeux, que l'on se façonne des idées et que l'on acquiert une forme. Il est donc indispensable d'étudier au moins le style des auteurs profanes, puisqu'ils sont les seuls qui en aient un; les autres ignorent la moitié des mots de la langue française et ils en sont encore à rabâcher l'idiome épuisé et corrompu par les redites, du XVIIe siècle.

L'Église n'a, par conséquent, en fait d'artistes, que ceux qui viennent à elle, équipés de toutes pièces et qui mettent les armes dont ils ont appris à se servir dans le camp opposé, à son service. Il faut avoir vécu pour pouvoir écrire. Mais alors, le talent serait le fruit du péché? je veux m'efforcer de ne point le croire; mais si nous admettions, pour une minute, la véracité de cette hypothèse, quelle miséricorde et quelle indulgence devraient avoir les catholiques pour ces pauvres convertis auxquels Dieu a réparti de si périlleux dons!

Pour être juste, il sied de convenir qu'à l'heure actuelle, un souffle de liberté et de franchise a quand même pénétré dans les écoles congréganistes et dans les séminaires. Nombre de jeunes gens refusent de se laisser crever littérairement les yeux et ils n'en sont plus, pour étancher leur soif de poésie religieuse, à tourner le robinet des eaux tièdes de Lamartine; j'en sais qui lisent avec délices les œuvres mystiques de Verlaine.

Dans la tempête rationaliste si maladroitement déchaînée sur ces pieux asiles, ces lectures ne peuvent être que roboratives et salutaires, car elles effluent, à pleines pages, la bonne simplesse et la foi.

Des pièces admirables, telles que cette série de sonnets dans lesquels le poète raconte les entretiens de l'âme avec Dieu, raffermiraient vraiment les ferveurs ébranlées et c'est pourquoi nous croyons accomplir une bonne œuvre en éditant ce livre.

C'était, il y a bien longtemps déjà, le souhait du P. Pacheu qui, dans un volume intitulé «de Dante à Verlaine», avait pris courageusement la défense de l'artiste, alors qu'il était honni par le clan impeccable, comme on sait, des catholiques.

Demandant un recueil des poésies religieuses de Verlaine, il disait: «Cette meilleure part de lui-même, cette chapelle offusquée par des masures mal famées, il faut la dégager de ses entours, pour la sauver de l'oubli».

Ainsi fut fait.

Verlaine est maintenant mort, il a trépassé chrétiennement, avec l'aide d'un prêtre. Les croyants auxquels nous offrons cet unique eucologe de prières modernes, n'ont plus qu'à profiter de ses péchés, car s'il ne les avait pas commis, il n'aurait point écrit dans les larmes les plus beaux poèmes de repentir et les plus belles suppliques rimées qui existent.

Ils seraient ingrats s'ils ne priaient pour le pauvre poète, qui, après avoir souffert pour leur bien, en somme, leur apporte, en ces temps découragés, un si cordial réconfort.

J. K. HUYSMANS.

POÉSIES RELIGIEUSES

SAGESSE

I

Bon chevalier masqué qui chevauche en silence,

Le Malheur a percé mon vieux cœur de sa lance.

Le sang de mon vieux cœur n'a fait qu'un jet vermeil,

Puis s'est évaporé sur les fleurs, au soleil.

L'ombre éteignit mes yeux, un cri vint à ma bouche

Et mon vieux cœur est mort dans un frisson farouche.

Alors le chevalier Malheur s'est rapproché,

Il a mis pied à terre et sa main m'a touché.

Son doigt ganté de fer entra dans ma blessure

Tandis qu'il attestait sa loi d'une voix dure.

Et voici qu'au contact glacé du doigt de fer

Un cœur me renaissait, tout un cœur pur et fier

Et voici que, fervent d'une candeur divine,

Tout un cœur jeune et bon battit dans ma poitrine!

Or, je restais tremblant, ivre, incrédule un peu,

Comme un homme qui voit des visions de Dieu.

Mais le bon chevalier, remonté sur sa bête,

En s'éloignant, me fit un signe de la tête

Et me cria (j'entends *encore* cette voix):

«Au moins, prudence! Car c'est bon pour une fois.»

II

J'avais peiné comme Sisyphe

Et comme Hercule travaillé

Contre la chair qui se rebiffe.

J'avais lutté, j'avais baillé

Des coups à trancher des montagnes,

Et comme Achille ferraillé.

Farouche ami qui m'accompagnes,

Tu le sais, courage païen,

Si nous en fîmes des campagnes.

Si nous avons négligé rien

Dans cette guerre exténuante,

Si nous avons travaillé bien!

Le tout en vain: l'âpre géante

A mon effort de tout côté

Opposait sa ruse ambiante,

Et toujours un lâche abrité

Dans mes conseils qu'il environne

Livrait les clés de la cité.

Que ma chance fût male ou bonne,

Toujours un parti de mon cœur

Ouvrait sa porte à la Gorgone.

Toujours l'ennemi suborneur

Savait envelopper d'un piège

Même la victoire et l'honneur!

J'étais le vaincu qu'on assiège,

Prêt à vendre son sang bien cher,

Quand, blanche en vêtements de neige,

Toute belle au front humble et fier,

Une dame vint sur la nue,

Qui d'un signe fit fuir la Chair.

Dans une tempête inconnue

De rage et de cris inhumains,

Et déchirant sa gorge nue,

Le Monstre reprit ses chemins

Par les bois pleins d'amours affreuses,

Et la dame, joignant les mains:

—«Mon pauvre combattant qui creuses,

Dit-elle, ce dilemme en vain,

Trêve aux victoires malheureuses!

«Il t'arrive un secours divin

Dont je suis sûre messagère

Pour ton salut, possible enfin!»

—«O ma Dame dont la voix chère

Encourage un blessé jaloux

De voir finir l'atroce guerre,

Vous qui parlez d'un ton si doux

En m'annonçant de bonnes choses,

Ma Dame, qui donc êtes-vous?»

—J'étais née avant toutes causes

Et je verrai la fin de tous

Les effets, étoiles et roses.

«En même temps, bonne, sur vous,

Hommes faibles et pauvres femmes,

Je pleure, et je vous trouve fous!

«Je pleure sur vos tristes âmes,

J'ai l'amour d'elles, j'ai la peur

D'elles, et de leurs vœux infâmes!

«O ceci n'est pas le bonheur,

Veillez, Quelqu'un l'a dit que j'aime,

Veillez, crainte du Suborneur,

«Veillez, crainte du Jour suprême!

Qui je suis? me demandais-tu.

Mon nom courbe les anges même,

«Je suis le cœur de la vertu,
Je suis l'âme de la sagesse,
Mon nom brûle l'Enfer têtu;
«Je suis la douceur qui redresse,
J'aime tous et n'accuse aucun,
Mon nom, seul, se nomme promesse,
«Je suis l'unique hôte opportun,
Je parle au Roi le vrai langage
Du matin rose et du soir brun,
«Je suis la PRIERE, et mon gage
C'est ton vice en déroute au loin;
Ma condition: «Toi, sois sage.»
—«Oui, ma Dame, et soyez témoin!»

III

Qu'en dis-tu, voyageur, des pays et des gares?
Du moins as-tu cueilli l'ennui, puisqu'il est mûr,
Toi que voilà fumant de maussades cigares,
Noir, projetant une ombre absurde sur le mur?
Tes yeux sont aussi morts depuis les aventures,
Ta grimace est la même et ton deuil est pareil:
Telle la lune vue à travers des mâtures,
Telle la vieille mer sous le jeune soleil,
Tel l'ancien cimetière aux tombes toujours neuves!
Mais voyons, et dis-nous les récits devinés,
Ces désillusions pleurant le long des fleuves,
Ces dégoûts comme autant de fades nouveau-nés,
Ces femmes! Dis les gaz, et l'horreur identique
Du mal toujours, du laid partout sur tes chemins,
Et dis l'Amour et dis encor la Politique

Avec du sang déshonoré d'encre à leurs mains.

Et puis surtout ne va pas t'oublier toi-même

Traînassant ta faiblesse et ta simplicité

Partout où l'on bataille et partout où l'on aime,

D'une façon si triste et folle, en vérité!

A-t-on assez puni cette lourde innocence?

Qu'en dis-tu? L'homme est dur, mais la femme? Et tes pleurs,

Qui les a bus? Et quelle âme qui les recense

Console ce qu'on peut appeler tes malheurs?

Ah les autres, ah toi! Crédule à qui te flatte,

Toi qui rêvais (c'était trop excessif, aussi)

Je ne sais quelle mort légère et délicate?

Ah toi, l'espèce d'ange avec ce vœu transi!

Mais maintenant les plans, les buts? Es-tu de force,

Ou si d'avoir pleuré t'a détrempé le cœur?

L'arbre est tendre s'il faut juger d'après l'écorce,

Et tes aspects ne sont pas ceux d'un grand vainqueur.

Si gauche encore! avec l'aggravation d'être

Une sorte à présent d'idyllique engourdi

Qui surveille le ciel bête par la fenêtre

Ouverte aux yeux matois du démon de midi.

Si le même dans cette extrême décadence!

Enfin!—Mais à ta place un être avec du sens,

Payant les violons voudrait mener la danse,

Au risque d'alarmer quelque peu les passants.

N'as-tu pas, en fouillant les recoins de ton âme,

Un beau vice à tirer comme un sabre au soleil,

Quelque vice joyeux, effronté, qui s'enflamme

Et vibre, et darde rouge au front du ciel vermeil?

Un ou plusieurs? Si oui, tant micux! Et pars bien vite
En guerre, et bats d'estoc et de taille, sans choix
Surtout, et mets ce masque indolent où s'abrite
La haine inassouvie et repue à la fois...
Il faut n'être pas dupe en ce farceur de monde
Où le bonheur n'a rien d'exquis et d'alléchant
S'il n'y frétille un peu de pervers et d'immonde,
Et pour n'être pas dupe il faut être méchant.
—Sagesse humaine, ah! j'ai les yeux sur d'autres choses,
Et parmi ce passé dont ta voix décrivait
L'ennui, pour des conseils encore plus moroses,
Je ne me souviens plus que du mal que j'ai fait.
Dans tous les mouvements bizarres de ma vie,
De mes «malheurs», selon le moment et le lieu,
Des autres et de moi, de la route suivie,
Je n'ai rien retenu que la grâce de Dieu.
Si je me sens puni, c'est que je le dois être.
Ni l'homme ni la femme ici ne sont pour rien.
Mais j'ai le ferme espoir d'un jour pouvoir connaître
Le pardon et la paix promis à tout Chrétien.
Bien de n'être pas dupe en ce monde d'une heure,
Mais pour ne l'être pas durant l'éternité,
Ce qu'il faut à tout prix qui règne et qui demeure,
Ce n'est pas la méchanceté, c'est la bonté.

IV

Malheureux! Tous les dons, la gloire du baptême,
Ton enfance chrétienne, une mère qui t'aime,
La force et la santé comme le pain et l'eau,
Cet avenir enfin, décrit dans le tableau

De ce passé plus clair que le jeu des marées,
Tu pilles tout, tu perds en viles simagrées
Jusqu'aux derniers pouvoirs de ton esprit, hélas!
La malédiction de n'être jamais las
Suit tes pas sur le monde où l'horizon t'attire,
L'enfant prodigue avec des gestes de satyre!
Nul avertissement, douloureux ou moqueur,
Ne prévaut sur l'élan funeste de ton cœur.
Tu flânes à travers péril et ridicule,
Avec l'irresponsable audace d'un Hercule
Dont les travaux seraient fous, nécessairement.
L'amitié—dame!—a tu son reproche clément,
Et chaste, et sans aucun espoir que le suprême,
Vient prier, comme au lit d'un mourant qui blasphème.
La patrie oubliée est dure au fils affreux,
Et le monde alentour dresse ses buissons creux
Où ton désir mauvais s'épuise en flèches mortes.
Maintenant il te faut passer devant les portes,
Hâtant le pas de peur qu'on ne lâche le chien,
Et si tu n'entends pas rire, c'est encor bien.
Malheureux, toi Français, toi Chrétien, quel dommage!
Mais tu vas, la pensée obscure de l'image
D'un bonheur qu'il te faut immédiat, étant
Athée (avec la foule!) et jaloux de l'instant,
Tout appétit parmi ces appétits féroces,
Épris de la fadaise actuelle, mots, noces
Et festins, la «Science», et «l'esprit de Paris»,
Tu vas magnifiant ce par quoi tu péris,
Imbécile! et niant le soleil qui t'aveugle!

Tout ce que les temps ont de bête paît et beugle

Dans ta cervelle, ainsi qu'un troupeau dans un pré,

Et les vices de tout le monde ont émigré

Pour ton sang dont le fer lâchement s'étiole.

Tu n'es plus bon à rien de propre, ta parole

Est morte de l'argot et du ricanement,

Et d'avoir rabâché les bourdes du moment.

Ta mémoire, de tant d'obscénités bondée,

Ne saurait accueillir la plus petite idée,

Et patauge parmi l'égoïsme ambiant,

En quête d'on ne peut dire quel vil néant!

Seul, entre les débris honnis de ton désastre,

L'Orgueil, qui met la flamme au front du poétastre

Et fait au criminel un prestige odieux,

Seul, l'Orgueil est vivant, il danse dans tes yeux,

Il regarde la Faute et rit de s'y complaire.

—Dieu des humbles, sauvez cet enfant de colère!

V

O vous, comme un qui boite au loin. Chagrins et Joies,

Toi, cœur saignant d'hier qui flambes aujourd'hui,

C'est vrai pourtant que c'est fini, que tout a fui

De nos sens, aussi bien les ombres que les proies.

Vieux bonheurs, vieux malheurs, comme une file d'oies

Sur la route en poussière où tous les pieds ont lui,

Bon voyage! Et le Rire, et, plus vielle que lui,

Toi, Tristesse noyée au vieux noir que tu broies!

Et le reste!—Un doux vide, un grand renoncement,

Quelqu'un en nous qui sent la paix immensément,

Une candeur d'âme d'une fraîcheur délicieuse…

Et voyez! notre cœur qui saignait sous l'orgueil,
Il flambe dans l'amour, et s'en va faire accueil
A la vie, en faveur d'une mort précieuse!

VI

Les faux beaux jours ont lui tout le jour, ma pauvre âme,
Et les voici vibrer aux cuivres du couchant.
Ferme les yeux, pauvre âme, et rentre sur-le-champ:
Une tentation des pires. Fuis l'infâme.
Ils ont lui tout le jour en longs grêlons de flamme,
Battant toute vendange aux collines, couchant
Toute moisson de la vallée, et ravageant
Le ciel tout bleu, le ciel chanteur qui te réclame.
O pâlis, et va-t'en, lente et joignant les mains.
Si ces hiers allaient manger nos beaux demains?
Si la vieille folie était encore en route?
Ces souvenirs, va-t-il falloir les retuer?
Un assaut furieux, le suprême sans doute!
O, va prier contre l'orage, va prier.

VII

La vie humble aux travaux ennuyeux et faciles
Est une œuvre de choix qui veut beaucoup d'amour:
Rester gai quand le jour, triste, succède au jour,
Être fort, et s'user en circonstances viles,
N'entendre, n'écouter aux bruits des grandes villes
Que l'appel, ô mon Dieu, des cloches dans la tour,
Et faire un de ces bruits soi-même, cela pour
L'accomplissement vil de tâches puériles,
Dormir chez les pécheurs étant un pénitent;

N'aimer que le silence et converser pourtant

Le temps si grand dans la patience si grande,

Le scrupule naïf aux repentirs têtus,

Et tous ces soins autour de ces pauvres vertus!

—Fi, dit l'Ange Gardien, de l'orgueil qui marchande!

VIII

Sagesse d'un Louis Racine, je t'envie!

O n'avoir pas suivi les leçons de Rollin,

N'être pas né dans le grand siècle à son déclin,

Quand le soleil couchant, si beau, dorait la vie,

Quand Maintenon jetait sur la France ravie

L'ombre douce et la paix de ces coiffes de lin,

Et royale abritait la veuve et l'orphelin,

Quand l'étude de la prière était suivie,

Quand poète et docteur, simplement, bonnement,

Communiaient avec des ferveurs de novices,

Humbles servaient la Messe et chantaient aux offices,

Et, le printemps venu, prenaient un soin charmant

D'aller dans les Auteuils cueillir lilas et roses

En louant Dieu, comme Garo, de toutes choses!

IX

Non. Il fut gallican, ce siècle, et janséniste!

C'est vers le Moyen Age énorme et délicat

Qu'il faudrait que mon cœur en panne naviguât,

Loin de nos jours d'esprit charnel et de chair triste.

Roi, politicien, moine, artisan, chimiste,

Architecte, soldat, médecin, avocat,

Quel temps! Oui, que mon cœur naufragé rembarquât

Pour toute cette force ardente, souple, artiste!
Et là que j'eusse part—quelconque, chez les rois
Ou bien ailleurs, n'importe,—à la chose vitale,
Et que je fusse un saint, actes bons, pensers droits,
Haute théologie et solide morale,
Guidé par la folie unique de la Croix
Sur tes ailes de pierre, ô folle Cathédrale!

X

Petits amis qui sûtes nous prouver
Par A plus B que deux et deux font quatre,
Mais qui depuis voulez parachever
Une victoire où l'on se laissait battre,
Et couronner vos conquêtes d'un coup
Par ce soufflet à la mémoire humaine;
«Dieu ne vous a révélé rien du tout,
Car nous disions qu'il n'est que l'ombre vaine,
Que le profil et que l'allongement
Sur tous les murs que la peur édifie,
De votre pur et simple mouvement,
Et nous dictons cette philosophie.»
—Frères trop chers, laissez-nous rire un peu,
Nous les fervents d'une logique rance,
Qui justement n'avons de foi qu'en Dieu
Et mettons notre espoir dans l'Espérance,
Laissez-nous rire un peu, pleurer aussi,
Pleurer sur vous, rire du vieux blasphème,
Rire du vieux Satan stupide ainsi,
Pleurer sur cet Adam dupe quand même!
Frère de nous qui payons vos orgueils,

Tous fils du même Amour, ah! la science,

Allons donc, allez donc, c'est nos cercueils

Naïfs ou non, c'est notre méfiance

Ou notre confiance aux seuls Récits,

C'est notre oreille ouverte toute grande

Ou tristement fermée au Mot précis!

Frères, lâchez la science gourmande

Qui veut voler sur les ceps défendus

Le fruit sanglant qu'il ne faut pas connaître.

Lâchez son bras qui vous tient attendus

Pour des enfers que Dieu n'a pas fait naître,

Mais qui sont l'œuvre affreuse du péché,

Car nous, les fils attentifs de l'Histoire,

Nous tenons pour l'honneur jamais taché

De la Tradition, supplice et gloire!

Nous sommes sûrs des Aïeux nous disant

Qu'ils ont vu Dieu sous telle ou telle forme,

Et prédisant aux crimes d'à *présent*

La peine immense ou le pardon énorme.

Puisqu'ils avaient vu Dieu présent toujours,

Puisqu'ils ne mentaient pas, puisque nos crimes

Vont effrayants, puisque vos yeux sont courts,

Et puisqu'il est des repentirs sublimes,

Ils ont dit tout. Savoir le reste est bien:

Que deux et deux fassent quatre, à merveille!

Riens innocents, mais des riens moins que rien,

La dernière heure étant là qui surveille

Tout autre soin dans l'homme en vérité!

Gardez que trop chercher ne vous séduise

Loin d'une sage et forte humilité…

Le seul savant, c'est encore Moïse.

XI

Or, vous voici promus, petits amis,

Depuis les temps de ma lettre première,

Promus, disais-je, aux fiers emplois promis

A votre thèse, en ces jours de lumière.

Vous voici rois de France! A votre tour!

(Rois à plusieurs d'une France postiche,

Mais rois de fait et non sans quelque amour

D'un trône lourd avec un budget riche.)

A l'œuvre, amis petits! Nous avons droit

De vous y voir, payant de notre poche,

Et d'être un peu réjouis à l'endroit

De votre état sans peur et sans reproche.

Sans peur? Du maître? O le maître, mais c'est

L'Ignorant-chiffre et le Suffrage-nombre,

Total, le peuple, «un âne» fort «qui s'est

Cabré», pour vous espoir clair, puis fait sombre.

Cabré comme une chèvre, c'est le mot.

Et votre bras, saignant jusqu'à l'aisselle,

S'efforce en vain: fort comme Béhémot,

Le monstre tire… et votre peur est telle

Quand l'âne brait, que le voilà parti

Qui par les dents vous boute cent ruades

En forme de reproche bien senti…

Courez après, frottant vos reins malades!

O Peuple, nous t'aimons immensément:

N'es-tu donc pas la pauvre âme ignorante

En proie à tout ce qui sait et qui ment?

N'es-tu donc pas l'immensité souffrante?

La charité nous fait chercher tes maux,

La foi nous guide à travers tes ténèbres.

On t'a rendu semblable aux animaux,

Moins leur candeur, et plein d'instincts funèbres.

L'orgueil t'a pris en ce quatre-vingt-neuf,

Nabuchodonosor, et te fait paître,

Ane obstiné, mouton buté, dur bœuf,

Broutant pouvoir, famille, soldat, prêtre!

O paysan cassé sur tes sillons,

Pâle ouvrier qu'esquinte la machine,

Membres sacrés de Jésus-Christ, allons,

Relevez-vous, honorez votre échine,

Portez l'amour qu'il faut à vos bras forts,

Vos pieds vaillants sont les plus beaux du monde,

Respectez-les, fuyez ces chemins tors,

Fermez l'oreille à ce conseil immonde,

Redevenez les Français d'autrefois,

Fils de l'Église, et dignes de vos pères!

O s'ils savaient ceux-ci sur vos pavois,

Leurs os sueraient de honte aux cimetières.

—Vous, nos tyrans minuscules d'un jour,

L'énormité des actes rend les princes

Surtout de souche impure, et malgré cour

Et splendeur et le faste, encor plus minces,—

Laissez le règne et rentrez dans le rang.

Aussi bien l'heure est proche où la tourmente

Vous va donner des loisirs, et tout blanc

L'avenir flotte avec sa fleur charmante

Sur la Bastille absurde où vous teniez

La France aux fers d'un blasphème et d'un schisme,

Et la chronique en de cléments Téniers

Déjà vous peint allant au catéchisme.

XII

Vous reviendrez bientôt, les bras pleins de pardons

Selon votre coutume,

O Pères excellents qu'aujourd'hui nous perdons

Pour comble d'amertume.

Vous reviendrez, vieillards exquis, avec l'honneur,

Et sa règle chérie,

Et que de pleurs joyeux, et quels cris de bonheur

Dans toute la patrie!

Vous reviendrez, après ces glorieux exils,

Après des moissons d'âmes,

Après avoir prié pour ceux-ci, fussent-ils

Encore plus infâmes,

Après avoir couvert les îles et la mer

De votre ombre si douce

Et réjoui le ciel et consterné l'enfer,

Béni qui vous repousse,

Béni qui vous dépouille au cri de liberté,

Béni l'impie en armes,

Et l'enfant qu'il vous prend des bras,—et racheté

Nos crimes par vos larmes!

Proscrits des jours, vainqueurs des temps, non point adieu,

Vous êtes l'espérance.

A tantôt, Pères saints, qui nous vaudrez de Dieu

Le salut pour la France!

Variante au 6e vers: Avec sa fleur chérie,

XIII

On n'offense que Dieu qui seul pardonne.

Mais

On contriste son frère, on l'afflige, on le blesse.

On fait gronder sa haine ou pleurer sa faiblesse,

Et c'est un crime affreux qui va troubler la paix

Des simples, et donner au monde sa pâture,

Scandale, cœurs perdus, gros mots et rire épais.

Le plus souvent par un effet de la nature

Des choses, ce péché trouve son châtiment

Même ici-bas, féroce et long communément.

Mais l'*Amour* tout-puissant donne à la créature

Le sens de son malheur qui mène au repentir

Par une route lente et haute, mais très sûre.

Alors un grand désir, un seul, vient investir

Le pénitent, après les premières alarmes,

Et c'est d'humilier son front devant les larmes

De naguère, sans rien qui pourrait amortir

Le coup droit pour l'orgueil, et de rendre les armes

Comme un soldat vaincu, triste, de bonne foi.

O ma sœur, qui m'avez puni, pardonnez-moi!

XIV

Voix de l'Orgueil: un cri puissant, comme d'un cor.

Des étoiles de sang sur des cuirasses d'or.

On trébuche à travers des chaleurs d'incendie...

Mais en somme la voix s'en va, comme d'un cor.

Voix de la Haine: cloche en mer, fausse, assourdie
De neige lente. Il fait si froid! Lourde, affadie,
La vie a peur et court follement sur le quai
Loin de la cloche qui devient plus assourdie.
Voix de la Chair: un gros tapage fatigué.
Des gens ont bu. L'endroit fait semblant d'être gai.
Des yeux, des noms, et l'air plein de parfums atroces
Où vient mourir le gros tapage fatigué.
Voix d'Autrui: des lointains dans les brouillards. Des noces
Vont et viennent. Des tas d'embarras. Des négoces.
Et tout le cirque des civilisations
Au son trotte-menu du violon des noces.
Colères, soupirs noirs, regrets, tentations
Qu'il a fallu pourtant que nous entendissions
Pour l'assourdissement des silences honnêtes,
Colères, soupirs noirs, regrets, tentations,
Ah! les Voix, mourez donc, mourantes que vous êtes!
Sentences, mots en vain, métaphores mal faites,
Toute la rhétorique en fuite des péchés,
Ah! les Voix, mourez donc, mourantes que vous êtes!
Nous ne sommes plus ceux que vous auriez cherchés.
Mourez à nous, mourez aux humbles vœux cachés
Que nourrit la douceur de la Parole forte,
Car notre cœur n'est plus de ceux que vous cherchez!
Mourez parmi la voix que la prière emporte
Au ciel, dont elle seule ouvre et ferme la porte
Et dont elle tiendra les sceaux au dernier jour,
Mourez parmi la voix que la prière apporte,
Mourez parmi la voix terrible de l'Amour!

XV

Va ton chemin sans plus t'inquiéter!
La route est droite et tu n'as qu'à monter,
Portant d'ailleurs le seul trésor qui vaille
Et l'arme unique au cas d'une bataille,
La pauvreté d'esprit et Dieu pour toi.
Surtout il faut garder toute espérance,
Qu'importe un peu de nuit et de souffrance?
La route est bonne et la mort est au bout.
Oui, garde toute espérance surtout,
La mort là-bas te dresse un lit de joie.
Et fais-toi doux de toute la douceur.
La vie est laide, encore c'est ta sœur.
Simple, gravis la côte et même chante
Pour écarter la prudence méchante
Dont la voix basse est pour tenter ta foi.
Simple comme un enfant, gravis la côte,
Humble comme un pécheur qui hait la faute,
Chante, et même sois gai, pour défier
L'ennui que l'ennemi peut t'envoyer
Afin que tu t'endormes sur la voie.
Ris du vieux piège et du vieux séducteur,
Puisque la Paix est là, sur la hauteur,
Qui luit parmi les fanfares de gloire.
Monte, ravi, dans la nuit blanche et noire,
Déjà l'Ange Gardien étend sur toi
Joyeusement des ailes de victoire.

XVI

Pourquoi triste, ô mon âme,
Triste jusqu'à la mort,
Quand l'effort te réclame,
Quand le suprême effort
Est là qui te réclame?
Ah! tes mains que tu tords
Au lieu d'être à la tâche,
Tes lèvres que tu mords
Et leur silence lâche,
Et tes yeux qui sont morts!
N'as-tu pas l'espérance
De la fidélité,
Et, pour plus d'assurance
Dans la sécurité,
N'as-tu pas la souffrance?
Mais chasse le sommeil
Et ce rêve qui pleure.
Grand jour et plein soleil!
Vois, il est plus que l'heure:
Le ciel bruit vermeil,
Et la lumière crue
Découpant d'un trait noir
Toute chose apparue
Te montre le Devoir
Et sa forme bourrue.
Marche à lui vivement,
Tu verras disparaître
Tout aspect inclément
De sa manière d'être,

Avec l'éloignement.

C'est le dépositaire

Qui te garde un trésor

D'amour et de mystère,

Plus précieux que l'or,

Plus sûr que rien sur terre:

Les biens qu'on ne voit pas,

Toute joie inouïe,

Votre paix, saints combats,

L'extase épanouie

Et l'oubli d'ici-bas,

Et l'oubli d'ici-bas!

XVII

Né l'enfant des grandes villes

Et des révoltes serviles,

J'ai là, tout cherché, trouvé

De tout appétit rêvé.

Mais, puisque rien n'en demeure,

J'ai dit un adieu léger

A tout ce qui peut changer,

Au plaisir, au bonheur même,

Et même à tout ce que j'aime

Hors de vous, mon doux Seigneur!

La Croix m'a pris sur ses ailes

Qui m'emporte aux meilleurs zèles,

Silence, expiation,

Et l'âpre vocation

Pour la vertu qui s'ignore.

Douce, chère Humilité,

Arrose ma charité,

Trempe-la de tes eaux vives.

O mon cœur, que tu ne vives

Qu'aux fins d'une bonne mort!

XVIII

L'âme antique était rude et vaine

Et ne voyait dans la douleur

Que l'acuité de la peine

Ou l'étonnement du malheur.

L'art, sa figure la plus claire,

Traduit ce double sentiment

Par deux grands types de la Mère

En proie au suprême tourment.

C'est la vieille reine de Troie:

Tous ses fils sont morts par le fer.

Alors ce deuil brutal aboie

Et glapit au bord de la mer.

Elle court le long du rivage,

Bavant vers le flot écumant,

Hirsute, criade, sauvage,

La chienne littéralement!...

Et c'est Niobé qui s'effare

Et garde fixement des yeux

Sur les dalles de pierre rare

Ses enfants tués par les dieux.

Le souffle expire sur sa bouche.

Elle meurt dans un geste fou.

Ce n'est plus qu'un marbre farouche

Là transporté nul ne sait d'où!...

La douleur chrétienne est immense,

Elle, comme le cœur humain,

Elle souffre, puis elle pense,

Et calme poursuit son chemin.

Elle est debout sur le Calvaire

Pleine de larmes et sans cris.

C'est également une mère,

Mais quelle mère de quel fils!

Elle participe au Supplice

Qui sauve toute nation,

Attendrissant le sacrifice

Par sa vaste compassion.

Et comme tous sont les fils d'elle,

Sur le monde et sur sa langueur

Toute la charité ruisselle

Des sept blessures de son cœur,

Au jour qu'il faudra, pour la gloire

Des cieux enfin tout grands ouverts,

Ceux qui surent et purent croire,

Bons et doux, sauf au seul Pervers,

Ceux-là vers la joie infinie

Sur la colline de Sion

Monteront d'une aile bénie

Aux plis de son assomption.

II

I

O mon Dieu, vous m'avez blessé d'amour
Et la blessure est encore vibrante,
O mon Dieu, vous m'avez blessé d'amour.

O mon Dieu, votre crainte m'a frappé
Et la brûlure est encor là qui tonne,
O mon Dieu, votre crainte m'a frappé.

O mon Dieu, j'ai connu que tout est vil
Et votre gloire en moi s'est installée,
O mon Dieu, j'ai connu que tout est vil.

Noyez mon âme aux flots de votre Vin,
Fondez ma vie au Pain de votre table,
Noyez mon âme aux flots de votre Vin.

Voici mon sang que je n'ai pas versé,
Voici ma chair indigne de souffrance,
Voici mon sang que je n'ai pas versé.

Voici mon front qui n'a pu que rougir,
Pour l'escabeau de vos pieds adorables,
Voici mon front qui n'a pu que rougir.

Voici mes mains qui n'ont pas travaillé,
Pour les charbons ardents et l'encens rare,
Voici mes mains qui n'ont pas travaillé.

Voici mon cœur qui n'a battu qu'en vain,
Pour palpiter aux ronces du Calvaire,
Voici mon cœur qui n'a battu qu'en vain.

Voici mes pieds, frivoles voyageurs,
Pour accourir au cri de votre grâce,

Voici mes pieds, frivoles voyageurs.
Voici ma voix, bruit maussade et menteur,
Pour les reproches de la Pénitence,
Voici ma voix, bruit maussade et menteur.
Voici mes yeux, luminaires d'erreur.
Pour être éteints aux pleurs de la prière,
Voici mes yeux, luminaires d'erreur.
Hélas, Vous, Dieu d'offrande et de pardon,
Quel est le puits de mon ingratitude,
Hélas! Vous, Dieu d'offrande et de pardon,
Dieu de terreur et Dieu de sainteté,
Hélas! ce noir abîme de mon crime,
Dieu de terreur et Dieu de sainteté,
Vous, Dieu de paix, de joie et de bonheur,
Toutes mes peurs, toutes mes ignorances,
Vous, Dieu de paix, de joie et de bonheur,
Vous connaissez tout cela, tout cela,
Et que je suis plus pauvre que personne,
Vous connaissez tout cela, tout cela.
Mais ce que j'ai, mon Dieu, je vous le donne.

II

Je ne veux plus aimer que ma mère Marie.
Tous les autres amours sont de commandement.
Nécessaires qu'ils sont, ma mère seulement
Pourra les allumer aux cœurs qui l'ont chérie.
C'est pour Elle qu'il faut chérir mes ennemis,
C'est par Elle que j'ai voué ce sacrifice,
Et la douceur de cœur et le zèle au service,
Comme je la priais, Elle les a permis.

Et comme j'étais faible et bien méchant encore,
Aux mains lâches, les yeux éblouis des chemins,
Elle baissa mes yeux et me joignit les mains,
Et m'enseigna les mots par lesquels on adore.
C'est par Elle que j'ai voulu de ces chagrins,
C'est pour Elle que j'ai mon cœur dans les Cinq Plaies,
Et tous ces bons efforts vers les croix et les claies,
Comme je l'invoquais, Elle en ceignit mes reins.
Je ne veux plus penser qu'à ma mère Marie,
Siège de la sagesse et source des pardons,
Mère de France aussi, de qui nous attendons
Inébranlablement l'honneur de la patrie.
Marie Immaculée, amour essentiel.
Logique de la foi cordiale et vivace,
En vous aimant qu'est-il de bon que je ne fasse,
En vous aimant du seul amour, Porte du ciel?

III

Vous êtes calme, vous voulez un vœu discret,
Des secrets à mi-voix dans l'ombre et le silence,
Le cœur qui se répand plutôt qu'il ne s'élance,
Et ces timides, moins transis qu'il ne paraît,
Vous accueillez d'un geste exquis telles pensées
Qui ne marchent qu'en ordre et font le moindre bruit,
Votre main, toujours prête à la chute du fruit,
patiente avec l'arbre et s'abstient de poussées.
Et si l'immense amour de vos commandements
Embrasse et presse tous en sa sollicitude,
Vos conseils vont dicter aux meilleurs et l'étude
Et le travail des plus humbles recueillements.

Le pécheur, s'il prétend vous connaître et vous plaire,

O vous qui nous aimant si fort parliez si peu,

Doit et peut, à tout temps du jour comme en tout lieu,

Bien faire obscurément son devoir et se taire,

Se taire pour le monde, un pur sénat de fous,

Se taire sur autrui, des âmes précieuses,

Car nous taire vous plaît, même aux heures pieuses,

Même à la mort, sinon devant le prêtre et vous.

Donnez-leur le silence et l'amour du mystère,

O Dieu glorifieur du bien fait en secret,

A ces timides moins transis qu'il ne paraît,

Et l'horreur, et le pli des choses de la terre.

Donnez-leur, ô mon Dieu, la résignation,

Toute force, douceur, l'ordre et l'intelligence,

Afin qu'au jour suprême ils gagnent l'indulgence

De l'Agneau formidable en la neuve Sion,

Afin qu'ils puissent dire: «Au moins nous sûmes croire»

Et que l'Agneau terrible, ayant tout supputé,

Leur réponde: «Venez, vous avez mérité,

Pacifiques, ma paix, et, douloureux, ma gloire.»

IV

I

Mon Dieu m'a dit: «Mon fils, il faut m'aimer, tu vois

Mon flanc percé, mon cœur qui rayonne et qui saigne,

Et mes pieds offensés que Madeleine baigne

De larmes, et mes bras douloureux sous le poids

De tes péchés, et mes mains! Et tu vois la croix,

Tu vois les clous, le fiel, l'éponge et tout t'enseigne

A n'aimer, en ce monde amer où la chair règne,

Que ma Chair et mon Sang, ma parole et ma voix.

Ne t'ai-je pas aimé jusqu'à la mort moi-même,

O mon frère en mon Père, ô mon fils en l'Esprit,

Et n'ai-je pas souffert, comme c'était écrit?

N'ai-je pas sangloté ton angoisse suprême

Et n'ai-je pas sué la sueur de tes nuits,

Lamentable ami qui me cherches où je suis?»

II

J'ai répondu: «Seigneur, vous avez dit mon âme.

C'est vrai que je vous cherche et ne vous trouve pas.

Mais vous aimer! Voyez comme je suis en bas,

Vous dont l'amour toujours monte comme la flamme

Vous, la source de paix que toute soif réclame,

Hélas! Voyez un peu mes tristes combats!

Oserai-je adorer la trace de vos pas,

Sur ces genoux saignants d'un rampement infâme?

Et pourtant je vous cherche en longs tâtonnements,

Je voudrais que votre ombre au moins vêtît ma honte,

Mais vous n'avez pas d'ombre, ô vous dont l'amour monte,

O vous, fontaine calme, amère aux seuls amants

De leur damnation, ô vous toute lumière

Sauf aux yeux dont un lourd baiser tient la paupière!»

III

—Il faut m'aimer! Je suis l'universel Baiser,

Je suis cette paupière et je suis cette lèvre

Dont tu parles, ô cher malade, et cette fièvre

Qui t'agite, c'est moi toujours! il faut oser

M'aimer! Oui, mon amour monte sans biaiser

Jusqu'où ne grimpe pas ton pauvre amour de chèvre,

Et t'emportera, comme un aigle vole un lièvre,

Vers des serpolets qu'un ciel cher vient arroser.

O ma nuit claire! ô tes yeux dans mon clair de lune!

O ce lit de lumière et d'eau parmi la brune!

Toute cette innocence et tout ce reposoir!

Aime-moi! Ces deux mots sont mes verbes suprêmes,

Car étant ton Dieu tout-puissant, je peux vouloir,

Mais je ne veux d'abord que pouvoir que tu m'aimes!

IV

—Seigneur, c'est trop? Vraiment je n'ose. Aimer qui? Vous?

Oh! non! Je tremble et n'ose. Oh! vous aimer je n'ose,

Je ne veux pas! Je suis indigne. Vous, la Rose

Immense des purs vents de l'Amour, ô Vous, tous

Les cœurs des saints, ô vous qui fûtes le Jaloux

D'Israël, Vous, la chaste abeille qui se pose

Sur la seule fleur d'une innocence mi-close

Quoi, *moi*, *moi*, pouvoir *Vous* aimer. Êtes-vous fous[1],

Père, Fils, Esprit? Moi, ce pécheur-ci, ce lâche,

Ce superbe, qui fait le mal comme sa tâche

Et n'a dans tous ses sens, odorat, toucher, goût,

Vue, ouïe, et dans tout son être—hélas! dans tout

Son espoir et dans tout son remords que l'extase

D'une caresse où le seul vieil Adam s'embrase?

[1] Saint Augustin.

V

—Il faut m'aimer. Je suis ces Fous que tu nommais,

Je suis l'Adam nouveau qui mange le vieil homme,

Ta Rome, ton Paris, ta Sparte et ta Sodome,
Comme un pauvre rué parmi d'horribles mets.
Mon amour est le feu qui dévore à jamais
Toute chair insensée, et l'évapore comme
Un parfum,—et c'est le déluge qui consomme
En son flot tout mauvais germe que je semais,
Afin qu'un jour la Croix où je meurs fût dressée
Et que par un miracle effrayant de bonté
Je t'eusse un jour à moi, frémissant et dompté.
Aime. Sors de ta nuit. Aime. C'est ma pensée
De toute éternité, pauvre âme délaissée,
Que tu dusses m'aimer, moi seul qui suis resté!

VI

—Seigneur, j'ai peur. Mon âme en moi tressaille toute.
Je vois, je sens qu'il faut vous aimer. Mais comment
Moi, ceci, me ferais-je, ô mon Dieu, votre amant,
O Justice que la vertu des bons redoute?
Oui, comment? Car voici que s'ébranle la voûte
Où mon cœur creusait son ensevelissement
Et que je sens fluer à moi le firmament,
Et je vous dis: de vous à moi quelle est la route?
Tendez-moi votre main, que je puisse lever
Cette chair accroupie et cet esprit malade.
Mais recevoir jamais la céleste accolade,
Est-ce possible? Un jour, pouvoir la retrouver
Dans votre sein, sur votre cœur qui fut le nôtre,
La place où reposa la tête de l'apôtre?

VII

—Certes, si tu le veux mériter, mon fils, oui,
Et voici. Laisse aller l'ignorance indécise
De ton cœur vers les bras ouverts de mon Église,
Comme la guêpe vole au lis épanoui.
Approche-toi de mon oreille. Épanches-y
L'humiliation d'une brave franchise.
Dis-moi tout sans un mot d'orgueil ou de reprise
Et m'offre le bouquet d'un repentir choisi.
Puis franchement et simplement viens à ma table.
Et je t'y bénirai d'un repas délectable
Auquel l'ange n'aura lui-même qu'assisté,
Et tu boiras le Vin de la vigne immuable
Dont la force, dont la douceur, dont la bonté
Feront germer ton sang à l'immortalité.

Puis, va! Garde une foi modeste en ce mystère
D'amour par quoi je suis ta chair et ta raison,
Et surtout reviens très souvent dans ma maison,
Pour y participer au Vin qui désaltère,
Au Pain sans qui la vie est une trahison,
Pour y prier mon Père et supplier ma Mère
Qu'il te soit accordé, dans l'exil de la terre,
D'être l'agneau sans cris qui donne sa toison,
D'être l'enfant vêtu de lin et d'innocence,
D'oublier ton pauvre amour-propre et ton essence,
Enfin, de devenir un peu semblable à moi
Qui fus, durant les jours d'Hérode et de Pilate
Et de Judas et de Pierre, pareil à toi
Pour souffrir et mourir d'une mort scélérate!

Et pour récompenser ton zèle en ces devoirs
Si doux qu'ils sont encore d'ineffables délices,
Je te ferai goûter sur terre mes prémices,
La paix du cœur, l'amour d'être pauvre, et mes soirs
Mystiques, quand l'esprit s'ouvre aux calmes espoirs
Et croit boire, suivant ma promesse, au Calice
Éternel, et qu'au ciel pieux la lune glisse,
Et que sonnent les angélus roses et noirs,
En attendant l'assomption dans ma lumière,
L'éveil sans fin dans ma charité coutumière,
La musique de mes louanges à jamais,
Et l'extase perpétuelle et la science.
Et d'être en moi parmi l'aimable irradiance
De tes souffrances, enfin miennes, que j'aimais!

VIII

—Ah! Seigneur, qu'ai-je? Hélas! me voici tout en larmes
D'une joie extraordinaire: votre voix
Me fait comme du bien et du mal à la fois,
Et le mal et le bien, tout a les mêmes charmes.
Je ris, je pleure, et c'est comme un appel aux armes
D'un clairon pour des champs de bataille où je vois
Des anges bleus et blancs portés sur des pavois,
Et ce clairon m'enlève en de fières alarmes.
J'ai l'extase et j'ai la terreur d'être choisi.
Je suis indigne, mais je sais votre clémence.
Ah! quel effort, mais quelle ardeur! Et me voici
Plein d'une humble prière, encor qu'un trouble immense

Brouille l'espoir que votre voix me révéla,

Et j'aspire en tremblant.

IX

—Pauvre âme, c'est cela!

V

Désormais le Sage, puni

Pour avoir trop aimé les choses,

Rendu prudent à l'infini,

Mais franc de scrupules moroses,

Et d'ailleurs retournant au Dieu

Qui fit les yeux et la lumière,

L'honneur, la gloire, et tout le peu

Qu'a son âme de candeur fière,

Le Sage peut dorénavant

Assister aux scènes du monde,

Et suivre la chanson du vent,

Et contempler la mer profonde.

Il ira, calme, et passera

Dans la férocité des villes,

Comme un mondain à l'Opéra

Qui sort blasé des danses viles.

Même,—et pour tenir abaissé

L'orgueil, qui fit son âme veuve.

Il remontera le passé,

Ce passé, comme un mauvais fleuve!

Il reverra l'herbe des bords,

Il entendra le flot qui pleure

Sur le bonheur mort et les torts

De cette date et de cette heure!...

Il aimera les cieux, les champs,

La bonté, l'ordre et l'harmonie,

Et sera doux, même aux méchants

Afin que leur mort soit bénie.

Délicat et non exclusif,

Il sera du jour où nous sommes:

Son cœur, plutôt contemplatif,

Pourtant saura l'œuvre des hommes.

Mais, revenu des passions,

Un peu méfiant des «usages»,

A vos civilisations

Préférera les paysages.

VI

Du fond du grabat

As-tu vu l'étoile

Que l'hiver dévoile?

Comme ton cœur bat,

Comme cette idée,

Regret ou désir,

Ravage à plaisir

Ta tête obsédée,

Pauvre tête en feu,

Pauvre cœur sans dieu,

L'ortie et l'herbette

Au bas du rempart

D'où l'appel frais part

D'une aigre trompette,

Le vent du coteau,

La Meuse, la goutte

Qu'on boit sur la route

A chaque écriteau,

Les sèves qu'on hume,

Les pipes qu'on fume!

Un rêve de froid:

«Que c'est beau la neige

Et tout son cortège

Dans leur cadre étroit!

Oh! tes blancs arcanes,

Nouvelle Archangel,

Mirage éternel

De mes caravanes!

Oh! ton chaste ciel,

Nouvelle Archangel!»

Cette ville sombre!

Tout est crainte ici…

Le ciel est transi

D'éclairer tant d'ombre.

Les pas que tu fais

Parmi ces bruyères

Lèvent des poussières

Au souffle mauvais…

Voyageur si triste,

Tu suis quelle piste?

C'est l'ivresse à mort,

C'est la noire orgie,

C'est l'amer effort

De ton énergie

Vers l'oubli dolent

De la voix intime,

C'est le seuil du crime,

C'est l'essor sanglant.

—Oh! fuis la chimère:

Ta mère, ta mère!

Quelle est cette voix

Qui ment et qui flatte!

«Ah! la tête plate,

Vipère des bois!»

Pardon et mystère.

Laisse ça dormir.

Qui peut, sans frémir.

Juger sur la terre?

«Ah! pourtant, pourtant,

Ce monstre impudent!»

La mer! Puisse-t-elle

Laver ta rancœur,

La mer au grand cœur,

Ton aïeule, celle

Qui chante en berçant

Ton angoisse atroce,

La mer, doux colosse

Au sein innocent,

Grondeuse infinie

De ton ironie!

Tu vis sans savoir!

Tu verses ton âme,

Ton lait et ta flamme

Dans quel désespoir?
Ton sang qui s'amasse
En une fleur d'or
N'est pas prêt encor
A la dédicace.
Attends quelque peu,
Ceci n'est que jeu.
Cette frénésie
T'initie au but.
D'ailleurs, le salut
Viendra d'un Messie
Dont tu ne sens plus
Depuis bien des lieues
Les effluves bleues
Sous tes bras perclus,
Naufragé d'un rêve
Qui n'a pas de grève!
Vis en attendant
L'heure toute proche.
Ne sois pas prudent.
Trêve à tout reproche.
Fais ce que tu veux.
Une main te guide
A travers le vide
Affreux de tes vœux.
Un peu de courage,
C'est le bon orage.
Voici le Malheur
Dans sa plénitude.

Mais à sa main rude

Quelle belle fleur!

«La brûlante épine!»

Un lys est moins blanc,

«Elle m'entre au flanc.»

Et l'odeur divine!

«Elle m'entre au cœur.»

Le parfum vainqueur!

«Pourtant je regrette,

Pourtant je me meurs,

Pourtant ces deux cœurs…»

Lève un peu la tête:

«Eh bien, c'est la Croix.»

Lève un peu ton âme

De ce monde infâme.

«Est-ce que je crois?»

Qu'en sais-tu? La Bête

Ignore sa tête,

La Chair et le Sang

Méconnaissent l'Acte.

«Mais j'ai fait un pacte

Qui va m'enlaçant

A la faute noire,

Je me dois à mon

Tenace démon:

Je ne veux point croire.

Je n'ai pas besoin

De rêver si loin!

«Aussi bien j'écoute

Des sons d'autrefois.

Vipère des bois,

Encor sur ma route?

Cette fois tu mords.»

Laisse cette bête.

Que fait au poète?

Que sont des cœurs morts?

Ah! plutôt oublie

Ta propre folie.

Ah! plutôt, surtout,

Douceur, patience,

Mi-voix et nuance,

Et paix jusqu'au bout!

Aussi bon que sage,

Simple autant que bon,

Soumets ta raison

Au plus pauvre adage,

Naïf et discret,

Heureux en secret!

Ah! surtout, terrasse

Ton orgueil cruel,

Implore la grâce

D'être un pur Abel,

Finis l'odyssée

Dans le repentir

D'un humble martyr,

D'une humble pensée.

Regarde au-dessus…

«Est-ce vous, JESUS?»

VII

Le ciel est, par-dessus le toit,
Si bleu, si calme!
Un arbre, par-dessus le toit
Berce sa palme.
La cloche dans le ciel qu'on voit
Doucement tinte.
Un oiseau sur l'arbre qu'on voit
Chante sa plainte.
Mon Dieu, mon Dieu, la vie est là,
Simple et tranquille.
Cette paisible rumeur-là
Vient de la ville.
—Qu'as-tu fait, ô toi que voilà
Pleurant sans cesse,
Dis, qu'as-tu fait, toi que voilà,
De ta jeunesse?

VIII

Le son du cor s'afflige vers les bois
D'une douleur on veut croire orpheline
Qui vient mourir au bas de la colline
Parmi la bise errant en courts abois.
L'âme du loup pleure dans cette voix
Qui monte avec le soleil qui décline,
D'une agonie on veut croire câline
Et qui ravit et qui navre à la fois.
Pour faire mieux cette plainte assoupie
La neige tombe à longs traits de charpie

A travers le couchant sanguinolent,

Et l'air a l'air d'être un soupir d'automne,

Tant il fait doux par ce soir monotone

Où se dorlote un paysage lent.

IX

La tristesse, la langueur du corps humain

M'attendrissent, me fléchissent, m'apitoient,

Ah! surtout quand des sommeils noirs le foudroient.

Quand les draps zèbrent la peau, foulent la main!

Et que mièvre dans la fièvre du demain,

Tiède encor du bain de sueur qui décroît,

Comme un oiseau qui grelotte sous un toit!

Et les pieds, toujours douloureux du chemin,

Et le sein, marqué d'un double coup de poing,

Et la bouche, une blessure rouge encor,

Et la chair frémissante, frêle décor,

Et les yeux, les pauvres yeux si beaux où point

La douleur de voir encore du fini!...

Triste corps! Combien faible et combien puni!

X

La bise se rue à travers

Les buissons tout noirs et tout verts,

Glaçant la neige éparpillée,

Dans la campagne ensoleillée.

L'odeur est aigre près des bois,

L'horizon chante avec des voix,

Les coqs des clochers des villages

Luisent crûment sur les nuages.

C'est délicieux de marcher

A travers ce brouillard léger

Qu'un vent taquin parfois retrousse.

Ah! fi de mon vieux feu qui tousse!

J'ai des fourmis plein les talons.

Debout, mon âme, vite, allons!

C'est le printemps sévère encore,

Mais qui par instant s'édulcore

D'un souffle tiède juste assez

Pour mieux sentir les froids passés

Et penser au Dieu de clémence…

Va, mon âme, à l'espoir immense!

XI

Vous voilà, vous voilà, pauvres bonnes pensées!

L'espoir qu'il faut, regret des grâces dépensées,

Douceur de cœur avec sévérité d'esprit,

Et cette vigilance, et le calme prescrit,

Et toutes!—Mais encor lentes, bien éveillées,

Bien d'aplomb, mais encor timides, débrouillées

A peine du lourd rêve et de la tiède nuit.

C'est à qui de vous va plus gauche, l'une suit

L'autre, et toutes ont peur du vaste clair de lune.

«Telles, quand des brebis sortent d'un clos. C'est une,

Puis deux, puis trois. Le reste est là, les yeux baissés,

La tête à terre, et l'air des plus embarrassés,

Faisant ce que fait leur chef de file: il s'arrête,

Elles s'arrêtent tour à tour, posant leur tête

Sur son dos, simplement et sans savoir pourquoi[2].»

Votre pasteur, ô mes brebis, ce n'est pas moi,

C'est un meilleur, un bien meilleur, qui sait les causes,

Lui qui vous tint longtemps et si longtemps là closes,

Mais qui vous délivra de sa main au temps vrai.

Suivez-le. Sa houlette est bonne.

Et je serai,

Sous sa voix toujours douce à votre ennui qui bêle,

Je serai, moi, par vos chemins, son chien fidèle.

[2] DANIEL, *Le Purgatoire.*

XII

L'échelonnement des haies

Moutonne à l'infini, mer

Claire dans le brouillard clair

Qui sent bon les jeunes baies.

Des arbres et des moulins

Sont légers sous le vert tendre

Où vient s'ébattre et s'étendre

L'agilité des poulains.

Dans ce vague d'un Dimanche

Voici se jouer aussi

De grandes brebis aussi

Douces que leur laine blanche.

Tout à l'heure déferlait

L'onde, roulée en volutes,

De cloches comme des flûtes

Dans le ciel comme du lait.

XIII

L'immensité de l'humanité,

Le Temps passé vivace et bon père,

Une entreprise à jamais prospère:

Quelle puissante et calme cité!

Il semble ici qu'on vit dans l'histoire,

Tout est plus fort que l'homme d'un jour.

De lourds rideaux d'atmosphère noire

Font richement la nuit alentour.

O civilisés que civilise

L'Ordre obéi, le Respect sacré!

O dans ce champ si bien préparé

Cette moisson de la Seule Église!

XIV

La mer est plus belle

Que les cathédrales,

Nourrice fidèle,

Berceuse de râles,

La mer sur qui prie

La Vierge Marie!

Elle a tous les dons

Terribles et doux.

J'entends ses pardons

Gronder ses courroux.

Cette immensité

N'a rien d'entêté.

O! si patiente,

Même quand méchante!

Un souffle ami hante

La vague, et nous chante:

«Vous sans espérance,

Mourez sans souffrance!»

Et puis sous les cieux

Qui s'y rient plus clairs,

Elle a des airs bleus,

Roses, gris et verts…

Plus belle que tous,

Meilleure que nous!

XV

La «grande ville». Un tas criard de pierres blanches

Où rage le soleil comme en pays conquis.

Tous les vices ont leur tanière, les exquis

Et les hideux, dans ce désert de pierres blanches.

Des odeurs! Des bruits vains! Où que vague le cœur,

Toujours ce poudroiement vertigineux de sable,

Toujours ce remuement de la chose coupable

Dans cette solitude où s'écœure le cœur!

De près, de loin, le Sage aura sa thébaïde

Parmi le fade ennui qui monte de ceci,

D'autant plus âpre et plus sanctifiante aussi,

Que deux parts de son âme y pleurent, dans ce vide!

XVI

Toutes les amours de la terre

Laissent au cœur du délétère

Et de l'affreusement amer,

Fraternelles et conjugales,

Paternelles et filiales,

Civiques et nationales,

Les charnelles, les idéales.

Toutes ont la guêpe et le ver.

La mort prend ton père et ta mère,
Ton frère trahira son frère,
Ta femme flaire un autre époux,
Ton enfant, on te l'aliène,
Ton peuple, il se pille ou s'enchaîne
Et l'étranger y pond sa haine,
Ta chair s'irrite et tourne obscène,
Ton âme flue en rêves fous.
Mais, dit Jésus, aime, n'importe!
Puis, de toute illusion morte
Fais un cortège, forme un chœur,
Va devant, tel aux champs le pâtre,
Tel le coryphée au théâtre,
Tel le vrai prêtre ou l'idolâtre,
Tels les grands-parents près de l'âtre,
Oui, que devant aille ton cœur!
Et que toutes ces voix dolentes
S'élèvent rapides ou lentes,
Aigres ou douces, composant
A la gloire de Ma souffrance
Instrument de ta délivrance,
Condiment de ton espérance
Et mets de ta propre navrance,
L'hymne qui te sied à présent!

XVII

Sainte Thérèse veut que la Pauvreté soit
La reine d'ici-bas, et littéralement!
Elle dit peu de mots de ce gouvernement
Et ne s'arrête point aux détails de surcroît;

Mais le Point, à son sens, celui qu'il faut qu'on voie

Et croie, est ceci dont elle la complimente;

Le libre arbitre pèse, arguë et parlemente.

Puis le pauvre-de-cœur décide et suit sa voie.

Qui l'en empêchera? De vœux il n'en a plus

Que celui d'être un jour au nombre des élus,

Tout-puissant serviteur, tout-puissant souverain,

Prodigue et dédaigneux, sur tous, des choses eues,

Mais accumulateur des seules choses sues,

De quel si fier sujet, et libre, quelle reine!

XVIII

C'est la fête du blé, c'est la fête du pain

Aux chers lieux d'autrefois revus après ces choses!

Tout bruit, la nature et l'homme, dans un bain

De lumière si blanc que les ombres sont roses.

L'or des pailles s'effondre au vol siffleur des faux

Dont l'éclair plonge, et va luire, et se réverbère.

La plaine, tout au loin couverte de travaux,

Change de face à chaque instant, gaie et sévère.

Tout halète, tout n'est qu'effort et mouvement

Sous le soleil tranquille, auteur des moissons mûres,

Et qui travaille encore imperturbablement

A gonfler, à sucrer là-bas les grappes sures.

Travaille, vieux soleil, pour le pain et le vin,

Nourris l'homme du lait de la terre, et lui donne

L'honnête verre où rit un peu d'oubli divin.

Moissonneurs, vendangeurs là-bas! votre heure est bonne!

Car sur la fleur des pains et sur la fleur des vins,

Fruit de la force humaine en tous lieux répartie,

Dieu moissonne, et vendange, et dispose à ses fins
La Chair et le Sang pour le calice et l'hostie!

AMOUR

PRIÈRE DU MATIN

O Seigneur, exaucez et dictez ma prière,

Vous la pleine Sagesse et la toute Bonté,

Vous sans cesse anxieux de mon heure dernière,

Et qui m'avez aimé de toute éternité.

Car—ce bonheur terrible est tel, tel ce mystère

Miséricordieux, que, cent fois médité,

Toujours il confondit ma raison qu'il atterre,—

Oui, vous m'avez aimé de toute éternité,

Oui, votre grand souci, c'est mon heure dernière,

Vous la voulez heureuse et pour la faire ainsi,

Dès avant l'univers, dès avant la lumière,

Vous préparâtes tout, ayant ce grand souci.

Exaucez ma prière après l'avoir formée

De gratitude immense et des plus humbles vœux,

Comme un poète scande une ode bien-aimée,

Comme une mère baise un fils sur les cheveux.

Donnez-moi de vous plaire, et puisque pour vous plaire

Il me faut être heureux, d'abord dans la douleur

Parmi les hommes durs sous une loi sévère,

Puis dans le ciel tout près de vous sans plus de pleur,

Tout près de vous, le Père éternel, dans la joie

Éternelle, ravi dans les splendeurs des saints,

O donnez-moi la foi très forte, que je croie

Devoir souffrir cent morts s'il plaît à vos desseins;

Et donnez-moi la foi très douce que j'estime

N'avoir de haine juste et sainte que pour moi,

Que j'aime le pécheur en détestant son crime,
Que surtout j'aime ceux de nous encor sans foi;
Et donnez-moi la foi très humble, que je pleure
Sur l'impropriété de tant de maux soufferts,
Sur l'inutilité des grâces et sur l'heure
Lâchement gaspillée aux efforts que je perds;
Et que votre Esprit Saint qui sait toute nuance
Rende prudent mon zèle et sage mon ardeur;
Donnez, juste Seigneur, avec la confiance,
Donnez la méfiance à votre serviteur:
Que je ne sois jamais un objet de censure
Dans l'action pieuse et le juste discours;
Enseignez-moi l'accent, montrez-moi la mesure;
D'un scandale, d'un seul, préservez mes entours;
Faites que mon exemple amène à vous connaître
Tous ceux que vous voudrez de tant de pauvres fous,
Vos enfants sans leur Père, un état sans le Maître,
Et que, si je suis bon, toute gloire aille à vous;
Et puis, et puis, quand tout des choses nécessaires,
L'homme, la patience et ce devoir dicté,
Aura fructifié de mon mieux dans vos serres,
Laissez-moi vous aimer en toute charité,
Laissez-moi, faites-moi de toutes mes faiblesses
Aimer jusqu'à la mort votre perfection,
Jusqu'à la mort des sens et de leurs mille ivresses,
Jusqu'à la mort du cœur, orgueil et passion,
Jusqu'à la mort du pauvre esprit lâche et rebelle
Que votre volonté dès longtemps appelait
Vers l'humilité sainte éternellement belle,

Mais lui gardait son rêve infernalement laid,
Son gros rêve éveillé de lourdes rhétoriques,
Spéculation creuse et calculs impuissants,
Ronflant et s'étirant en phrases pléthoriques.
Ah! tuez mon esprit, et mon cœur et mes sens!
Place à l'âme qui croie, et qui sente et qui voie
Que tout est vanité fors elle-même en Dieu;
Place à l'âme, Seigneur, marchant dans votre voie
Et ne tendant qu'au ciel, seul espoir et seul lieu!
Et que cette âme soit la servante très douce
Avant d'être l'épouse au trône non pareil.
Donnez-lui l'Oraison comme le lit de mousse
Où ce petit oiseau se baigne de soleil,
La paisible oraison comme la fraîche étable
Où cet agneau s'ébatte et broute dans les coins
D'ombre et d'or quand sévit le midi redoutable
Et que juin fait crier l'insecte dans les foins,
L'oraison bien en vous, fût-ce parmi la foule,
Fût-ce dans le tumulte et l'erreur des cités.
Donnez-lui l'oraison qui sourde et d'où découle
Un ruisseau toujours clair d'austères vérités:
La mort, le noir péché, la pénitence blanche,
L'occasion à fuir et la grâce à guetter;
Donnez-lui l'oraison d'en haut et d'où s'épanche
Le fleuve amer et fort qu'il lui faut remonter:
Mortification spirituelle, épreuve
Du feu par le désir et de l'eau par le pleur
Sans fin d'être imparfaite et de se sentir veuve
D'un amour que doit seule aviver la douleur,

Sécheresses ainsi que des trombes de sable
En travers du torrent où luttent ses bras lourds,
Un ciel de plomb fondu, la soif inapaisable
Au milieu de cette eau qui l'assoiffe toujours,
Mais cette eau-là jaillit à la vie éternelle,
Et la vague bientôt porterait doucement
L'âme persévérante et son amour fidèle
Aux pieds de votre Amour fidèle, ô Dieu clément!
La bonne mort pour quoi Vous-Même vous mourûtes
Me ressusciterait à votre éternité.
Pitié pour ma faiblesse, assistez à mes luttes
Et bénissez l'effort de ma débilité!
Pitié, Dieu pitoyable! et m'aidez à parfaire
L'œuvre de votre cœur adorable, en sauvant
L'âme que rachetaient les affres du Calvaire;
Père, considérez le prix de votre enfant.

ÉCRIT EN 1875

A EDMOND LEPELLETIER

J'ai naguère habité le meilleur des châteaux
Dans le plus fin pays d'eau vive et de coteaux:
Quatre tours s'élevaient sur le front d'autant d'ailes,
Et j'ai longtemps, longtemps habité l'une d'elles.
Le mur, étant de brique extérieurement,
Luisait rouge au soleil de ce site dormant,
Mais un lait de chaux, clair comme une aube qui pleure,
Tendait légèrement la voûte intérieure.
O diane des yeux qui vont parler au cœur,
O réveil pour les sens éperdus de langueur,
Gloire des fronts d'aïeuls, orgueil jeune des branches,

Innocence et fierté des choses, couleurs blanches!

Parmi des escaliers en vrille, tout aciers

Et cuivres, luxes brefs encore émaciés,

Cette blancheur bleuâtre et si douce à m'en croire,

Que relevait un peu la longue plinthe noire,

S'emplissait tout le jour de silence et d'air pur

Pour que la nuit y vînt rêver de pâle azur.

Une chambre bien close, une table, une chaise,

Un lit strict où l'on pût dormir juste à son aise,

Du jour suffisamment et de l'espace assez,

Tel fut mon lot durant les longs mois là passés,

Et je n'ai jamais plaint ni les mois ni l'espace,

Ni le reste, et du point de vue où je me place,

Maintenant que voici le monde de retour,

Ah! vraiment, j'ai regret aux deux ans dans la tour!

Car c'était bien la paix réelle et respectable,

Ce lit dur, cette chaise unique et cette table,

La paix où l'on aspire alors qu'on est bien soi,

Cette chambre aux murs blancs, ce rayon sobre et coi,

Qui glissait lentement en teintes apaisées,

Au lieu de ce grand jour diffus de vos croisées.

Car à quoi bon le vain appareil et l'ennui

Du plaisir, à la fin, quand le malheur a lui,

(Et le malheur est bien un trésor qu'on déterre)

Et pourquoi cet effroi de rester solitaire

Qui pique le troupeau des hommes d'à présent,

Comme si leur commerce était bien suffisant?

Questions! Donc j'étais heureux avec ma vie,

Reconnaissant de biens que nul, certes, n'envie.

(O fraîcheur de sentir qu'on n'a pas de jaloux!
O bonté d'être cru plus malheureux que tous!)
Je partageais les jours de cette solitude
Entre ces deux bienfaits, la prière et l'étude,
Que délassait un peu de travail manuel.
Ainsi les Saints! J'avais aussi ma part de ciel,
Surtout quand, revenant au jour, si proche encore,
Où j'étais ce mauvais sans plus qui s'édulcore
En la luxure lâche aux farces sans pardon,
Je pouvais supputer tout le prix de ce don:
N'être plus là, parmi les choses de la foule,
S'y dépensant, plutôt dupe, pierre qui roule,
Mais de fait un complice à tous ces noirs péchés,
N'être plus là, compter au rang des cœurs cachés,
Des cœurs discrets que Dieu fait siens dans le silence,
Sentir qu'on grandit bon et sage, et qu'on s'élance
Du plus bas au plus haut en essors bien réglés,
Humble, prudent, béni, la croissance des blés!—
D'ailleurs, nuls soins gênants, nulle démarche à faire.
Deux fois le jour ou trois, un serviteur sévère
Apportait mes repas et repartait muet.
Nul bruit. Rien dans la tour jamais ne remuait
Qu'une horloge au cœur clair qui battait à coups larges.
C'était la liberté (la seule!) sans ses charges,
C'était la dignité dans la sécurité!
O lieu presque aussitôt regretté que quitté,
Château, château magique où mon âme s'est faite,
Frais séjour où se vint apaiser la tempête
De ma raison allant à vau-l'eau dans mon sang,

Château, château qui luis tout rouge et dors tout blanc,

Comme un bon fruit de qui le goût est sur mes lèvres

Et désaltère encor l'arrière-soif des fièvres,

O sois béni, château d'où me voilà sorti

Prêt à la vie, armé de douceur et nanti

De la Foi, pain et sel et manteau pour la route

Si déserte, si rude et si longue, sans doute,

Par laquelle il faut tendre aux innocents sommets.

Et soit aimé l'AUTEUR de la Grâce, à jamais!

(Stickney, Angleterre.)

UN CONTE

A J.-K. HUYSMANS

Simplement, comme on verse un parfum sur une flamme

Et comme un soldat répand son sang pour la patrie,

Je voudrais pouvoir mettre mon cœur avec mon âme

Dans un beau cantique à la sainte Vierge Marie.

Mais je suis, hélas! un pauvre pécheur trop indigne,

Ma voix hurlerait parmi le chœur des voix des justes:

Ivre encor du vin amer de la terrestre vigne,

Elle pourrait offenser des oreilles augustes.

Il faut un cœur pur comme l'eau qui jaillit des roches,

Il faut qu'un enfant vêtu de lin soit notre emblème,

Qu'un agneau bêlant n'éveille en nous aucuns reproches

Que l'innocence nous ceigne un brûlant diadème,

Il faut tout cela pour oser dire vos louanges,

O vous Vierge Mère, ô vous Marie Immaculée,

Vous, blanche à travers les battements d'ailes des anges,

Qui posez vos pieds sur notre terre consolée.

Du moins je ferai savoir à qui voudra l'entendre

Comment il advint qu'une âme des plus égarées,
Grâce à ces regards cléments de votre gloire tendre,
Revint au bercail des Innocences ignorées.
Innocence, ô belle après l'Ignorance inouïe,
Eau claire du cœur après le feu vierge de l'âme,
Paupière de grâce sur la prunelle éblouie,
Désaltèrement du cerf rompu d'amour qui brame!
Ce fut un amant dans toute la force du terme:
Il avait connu toute la chair, infâme ou vierge,
Et la profondeur monstrueuse d'un épiderme,
Et le sang d'un cœur, cire vermeille pour son cierge!
Ce fut un athée, et qui poussait loin sa logique
Tout en méprisant les fadaises qu'elle autorise,
Et comme un forçat qui remâche une vieille chique
Il aimait le jus flasque de la mécréantise.
Ce fut un brutal, ce fut un ivrogne des rues,
Ce fut un mari comme on en rencontre aux barrières;
Bon que les amours premières fussent disparues,
Mais cela n'excuse en rien l'excès de ses manières.
Ce fut, et quel préjudice! un Parisien fade,
Vous savez, de ces provinciaux cent fois plus pires
Qui prennent au sérieux la plus sotte cascade
Sans s'apercevoir, ô leur âme, que tu respires;
Race de théâtre et de boutique dont les vices
Eux-mêmes, avec leur odeur rance et renfermée,
Lèveraient le cœur à des sauvages, leurs complices,
Race de trottoir, race d'égout et de fumée!
Enfin un sot, un infatué de ce temps bête
(Dont l'esprit au fond consiste à boire de la bière)

Et par-dessus tout une folle tête inquiète,
Un cœur à tous vents, vraiment mais vilement sincère.
Mais sans doute, et moi j'inclinerais fort à le croire,
Dans quelque coin bien discret et sûr de ce cœur même,
Il avait gardé comme qui dirait la mémoire
D'avoir été ces petits enfants que Jésus aime.
Avait-il,—et c'est vraiment plus vrai que vraisemblable,
Conservé dans le sanctuaire de sa cervelle
Votre nom, Marie, et votre titre vénérable,
Comme un mauvais prêtre ornerait encor sa chapelle?
Ou tout bonnement peut-être qu'il était encore,
Malgré tout son vice et tout son crime et tout le reste,
Cet homme très simple qu'au moins sa candeur décore
En comparaison d'un monde autour que Dieu déteste.
Toujours est-il que ce grand pécheur eut des conduites
Folles à ce point d'en devenir trop maladroites,
Si bien que les tribunaux s'en mirent,—et les suites!
Et le voyez-vous dans la plus étroite des boîtes?
Cellules! Prisons humanitaires! il faut taire
Votre horreur fadasse et ce progrès d'hypocrisie…
Puis il s'attendrit, il réfléchit. Par quel mystère,
O Marie, ô vous, de toute éternité choisie?
Puis il se tourna vers votre Fils et vers Sa Mère.
O qu'il fut heureux, mais là promptement, tout de suite!
Que de larmes, quelle joie, ô Mère! et pour vous plaire,
Tout de suite aussi le voilà qui bien vite quitte
Tout cet appareil d'orgueil et de pauvres malices,
Ce qu'on nomme esprit et ce qu'on nomme la Science,
Et les rires et les sourires où tu te plisses,

Lèvre des petits exégètes de l'incroyance!
Et le voilà qui s'agenouille et, bien humble, égrène
Entre ses doigts fiers les grains enflammés du Rosaire,
Implorant de Vous, la Mère, et la Sainte, et la Reine,
L'affranchissement d'être ce charnel, ô misère!
O qu'il voudrait bien ne plus savoir plus rien du monde
Qu'adorer obscurément la mystique sagesse,
Qu'aimer le cœur de Jésus dans l'extase profonde
De penser à vous en même temps pendant la Messe.
O faites cela, faites cette grâce à cette âme,
O vous, vierge Mère, ô vous Marie Immaculée,
Toute en argent parmi l'argent de l'épithalame,
Qui posez vos pieds sur notre terre consolée.

BOURNEMOUTH

A FRANCIS POICTEVIN

Le long bois de sapins se tord jusqu'au rivage,
L'étroit bois de sapins, de lauriers et de pins,
Avec la ville autour déguisée en village:
Chalets éparpillés rouges dans le feuillage
Et les blanches villas des stations de bains.
Le bois sombre descend d'un plateau de bruyère,
Va, vient, creuse un vallon, puis monte vert et noir
Et redescend en fins bosquets où la lumière
Filtre et dore l'obscur sommeil du cimetière
Qui s'étage bercé d'un vague nonchaloir.
A gauche la tour lourde (elle attend une flèche)
Se dresse d'une église invisible d'ici,
L'estacade très loin; haute, la tour, et sèche:
C'est bien l'anglicanisme impérieux et rêche

A qui l'essor du cœur vers le ciel manque aussi.
Il fait un de ces temps ainsi que je les aime,
Ni brume ni soleil! le soleil deviné,
Pressenti, du brouillard mourant, dansant à même
Le ciel très haut qui tourne et fuit, rose de crème;
L'atmosphère est de perle et la mer d'or fané.
De la tour protestante il part un chant de cloche,
Puis deux et trois et quatre, et puis huit à la fois,
Instinctive harmonie allant de proche en proche,
Enthousiasme, joie, appel, douleur, reproche,
Avec de l'or, du bronze et du feu dans la voix;
Bruit immense et bien doux que le long bois écoute!
La musique n'est pas plus belle. Cela vient
Lentement sur la mer qui chante et frémit toute,
Comme sous une armée au pas sonne une route
Dans l'écho qu'un combat d'avant-garde retient.
La sonnerie est morte. Une rouge traînée
De grands sanglots palpite et s'éteint sur la mer,
L'éclair froid d'un couchant de la nouvelle année
Ensanglante là-bas la ville couronnée
De nuit tombante, et vibre à l'ouest encore clair.
Le soir se fonce. Il fait glacial. L'estacade
Frissonne et le ressac a gémi dans son bois
Chanteur, puis est tombé lourdement en cascade
Sur un rythme brutal comme l'ennui maussade
Qui martelait mes jours coupables d'autrefois:
Solitude du cœur dans le vide de l'âme,
Le combat de la mer et des vents de l'hiver,
L'orgueil vaincu, navré, qui râle et qui déclame,

Et cette nuit où rampe un guet-apens infâme,

Catastrophe flairée, avant-goût de l'Enfer!...

Voici trois tintements comme trois coups de flûtes,

Trois encor, trois encor! l'*Angélus* oublié

Se souvient, le voici qui dit: Paix à ces luttes!

Le Verbe s'est fait chair pour relever tes chutes,

Une vierge a conçu, le monde est délié!

Ainsi Dieu parle par la voix de *sa* chapelle

Sise à mi-côte à droite et sur le bord du bois...

O Rome, ô Mère! Cri, geste qui nous rappelle

Sans cesse au bonheur seul et donne au cœur rebelle

Et triste le conseil pratique de la Croix.

—La nuit est de velours. L'estacade laissée

Tait par degrés son bruit sous l'eau qui refluait,

Une route assez droite heureusement tracée

Guide jusque chez moi ma retraite pressée

Dans ce noir absolu sous le long bois muet.

THERE

A ÉMILE LE BRUN

«Angels», seul coin luisant dans ce Londres du soir,

Où flambe un peu de gaz et jase quelque foule,

C'est drôle que, semblable à tel très dur espoir,

Ton souvenir m'obsède et puissamment enroule

Autour de mon esprit un regret rouge et noir:

Devantures, chansons, omnibus et les danses

Dans le demi-brouillard où flue un goût de rhum,

Décence, toutefois, le souci des cadences,

Et même dans l'ivresse un certain décorum,

Jusqu'à l'heure où la brume et la nuit se font denses.

«Angels»! jours déjà loin, soleils morts, flots taris;
Mes vieux péchés longtemps ont rôdé par tes voies,
Tout soudain rougissant, misère! et tout surpris
De se plaire vraiment à tes honnêtes joies,
Eux pour tout le contraire arrivés de Paris!
Souvent l'incompressible Enfance ainsi se joue,
Fût-ce dans ce rapport infinitésimal,
Du monstre intérieur qui nous crispe la joue
Au froid ricanement de la haine et du mal,
Ou gonfle notre lèvre amère en lourde moue.
L'Enfance baptismale émerge du pécheur,
Inattendue, alerte, et nargue ce farouche
D'un sourire non sans franchise ou sans fraîcheur,
Qui vient, quoi qu'il en ait, se poser sur sa bouche
A lui, par un prodige exquisement vengeur.
C'est la Grâce qui passe aimable et nous fait signe.
O la simplicité primitive, elle encor!
Cher recommencement bien humble! Fuite insigne
De l'heure vers l'azur mûrisseur de fruits d'or!
«Angels»! ô nom *revu*, calme et frais comme un cygne!

UN CRUCIFIX

A GERMAIN NOUVEAU

Église Saint-Géry, Arras.

Au bout d'un bas-côté de l'église gothique,
Contre le mur que vient baiser le jour mystique
D'un long vitrail d'azur et d'or finement roux,
Le Crucifix se dresse, ineffablement doux,
Sur sa croix peinte en vert aux arêtes dorées,
Et la gloire d'or sombre en langues échancrées

Flue autour de la tête et des bras étendus,
Tels quatre vols de flamme en un seul confondus.
La statue est en bois, de grandeur naturelle,
Légèrement teintée, et l'on croirait sur elle
Voir s'arrêter la vie à l'instant qu'on la voit.
Merveille d'art pieux, celui qui la fit doit
N'avoir fait qu'elle et s'être éteint dans la victoire
D'être un bon ouvrier trois fois sûr de sa gloire.
«Voilà l'homme!» Robuste et délicat pourtant.
C'est bien le corps qu'il faut pour avoir souffert tant,
Et c'est bien la poitrine où bat le Cœur immense:
Par les lèvres le souffle expirant dit: «Clémence»,
Tant l'artiste les a disjointes saintement,
Et les bras grands ouverts prouvent le Dieu clément;
La couronne d'épine est énorme et cruelle
Sur le front inclinant sa pâleur fraternelle
Vers l'ignorance humaine et l'erreur du pécheur,
Tandis que, pour noyer le scrupule empêcheur
D'aimer et d'espérer comme la Foi l'enseigne,
Les pieds saignent, les mains saignent, le côté saigne;
On sent qu'il s'offre au Père en toute charité,
Ce vrai Christ catholique éperdu de bonté,
Pour spécialement sauver vos âmes tristes,
Pharisiens naïfs, sincères jansénistes!
—Un ami qui passait, bon peintre et bon chrétien
Et bon poète aussi—les trois s'accordent bien—
Vit cette œuvre sublime, en fit une copie
Exquise, et surprenant mon regard qui l'épie,
Très gracieusement chez moi vint l'oublier.

Et j'ai rimé ces vers pour le remercier.—

Août 1880

UN VEUF PARLE

Je vois un groupe sur la mer.

Quelle mer? Celle de mes larmes.

Mes yeux mouillés du vent amer

Dans cette nuit d'ombre et d'alarmes

Sont deux étoiles sur la mer.

C'est une toute jeune femme

Et son enfant déjà tout grand

Dans une barque où nul ne rame,

Sans mât ni voile, en plein courant…

Un jeune garçon, une femme!

En plein courant dans l'ouragan!

L'enfant se cramponne à sa mère

Qui ne sait plus où, non plus qu'en…,

Ni plus rien, et qui, folle, espère

En le courant, en l'ouragan.

Espérez en Dieu, pauvre folle,

Crois en notre Père, petit.

La tempête qui vous désole,

Mon cœur de là-haut vous prédit

Qu'elle va cesser, petit, folle!

Et paix au groupe sur la mer,

Sur cette mer de bonnes larmes!

Mes yeux joyeux dans le ciel clair,

Par cette nuit sans plus d'alarmes,

Sont deux bons anges sur la mer.

1878

IL PARLE ENCORE

Ni pardon ni répit, dit le monde,
Plus de place au sénat du loisir!
On rend grâce et justice au désir
Qui te prend d'une paix si profonde,
Et l'on eût fait trêve avec plaisir,
Mais la guerre est jalouse: il faut vivre
Ou mourir du combat qui t'enivre.
Aussi bien tes vœux sont absolus
Quand notre art est un mol équilibre.
Nous donnons un sens large au mot: libre,
Et ton sens va: Vite ou jamais plus.
Ta prière est un ordre qui vibre;
Alors nous, indolents conseilleurs,
Que te dire, excepté: Cherche ailleurs?
Et je vois l'Orgueil et la Luxure
Parmi la réponse: tel un cor
Dans l'éclat fané d'un vil décor,
Prêtant sa rage à la flûte impure.
Quel décor connu mais triste encor!
C'est la ville où se caille et se lie
Ce passé qu'on boit jusqu'à la lie,
C'est Paris banal, maussade et blanc,
Qui chantonne une ariette vieille
En cuvant sa «noce» de la veille
Comme un invalide sur un banc.
La Luxure me dit à l'oreille:
Bonhomme, on vous a déjà donné.

Et l'Orgueil se tait comme un damné.

O Jésus, vous voyez que la porte

Est fermée au Devoir qui frappait,

Et que l'on s'écarte à mon aspect.

Je n'ai plus qu'à prier pour la morte.

Mais l'agneau, bénissez qui le paît!

Que le thym soit doux à sa bouchette!

Que le loup respecte la houlette!

Et puis, bon pasteur, paissez mon cœur:

Il est seul désormais sur la terre,

Et l'horreur de rester solitaire

Le distrait en l'étrange langueur

D'un espoir qui ne veut pas se taire,

Et l'appelle aux prés qu'il ne faut pas.

Donnez-lui de n'aller qu'en vos pas.

1879.

SAINT GRAAL
A LÉON BLOY

Parfois je sens, mourant des temps où nous vivons,

Mon immense douleur s'enivrer d'espérance.

En vain l'heure honteuse ouvre des trous profonds,

En vain bâillent sous nous les désastres sans fonds

Pour engloutir l'abus de notre âpre souffrance,

Le sang de Jésus-Christ ruisselle sur la France.

Le précieux Sang coule à flots de ses autels

Non encor renversés, et coulerait encore

Le fussent-ils, et quand nos malheurs seraient tels

Que les plus forts, cédant à ces effrois mortels,

Eux-mêmes subiraient la loi qui déshonore,

De l'ombre des cachots il jaillirait encore,
Il coulerait encor des pierres des cachots,
Descellerait l'horreur des ciments, doux et rouge
Suintement, torrent patient d'oraisons,
D'expiation forte et de bonnes raisons
Contre les lâchetés et les «feux sur qui bouge!»
Et toute guillotine et cette Gueuse rouge…!
Torrent d'amour du Dieu d'amour et de douceur,
Fût-ce parmi l'horreur de ce monde moqueur,
Fleuve rafraîchissant de feu qui désaltère,
Source vive où s'en vient ressusciter le cœur
Même de l'assassin, même de l'adultère,
Salut de la patrie, ô sang qui désaltère!

ANGÉLUS DE MIDI

Je suis dur comme un juif et têtu comme lui,
Littéral, ne faisant le bien qu'avec ennui,
Quand je le fais, et prêt à tout le mal possible;
Mon esprit s'ouvre et s'offre, on dirait une cible;
Je ne puis plus compter les chutes de mon cœur;
La charité se fane aux doigts de la langueur;
L'ennemi m'investit d'un fossé d'eau dormante;
Un parti de mon être a peur et parlemente:
Il me faut à tout prix un secours prompt et fort.
Ce fort secours, c'est vous, maîtresse de la mort
Et reine de la vie, ô Vierge immaculée,
Qui tendez vers Jésus la Face constellée
Pour lui montrer le Sein de toutes les douleurs
Et tendez vers nos pas, vers nos ris, vers nos pleurs
Et vers nos vanités douloureuses les paumes

Lumineuses, les Mains répandeuses de baumes.

Marie, ayez pitié de moi qui ne vaux rien

Dans le chaste combat du Sage et du Chrétien;

Priez pour mon courage et pour qu'il persévère,

Pour de la patience, en cette longue guerre,

A supporter le froid et le chaud des saisons;

Écartez le fléau des mauvaises raisons;

Rendez-moi simple et fort, inaccessible aux larmes,

Indomptable à la peur; mettez-moi sous les armes,

Que j'écrase, puisqu'il le faut, et broie enfin

Tous les vains appétits, et la soif et la faim,

Et l'amour sensuel, cette chose cruelle,

Et la haine encore plus cruelle et sensuelle,

Faites-moi le soldat rapide de vos vœux,

Que pour vous obéir soit le rien que je peux.

Que ce que vous voulez soit tout ce que je puisse!

J'immolerai comme en un calme sacrifice

Sur votre autel honni jadis, baisé depuis,

Le mauvais que je fus, le lâche que je suis.

La sale vanité de l'or qu'on a, l'envie

D'en avoir mais pas pour le Pauvre, cette vie

Pour soi, quel soi! l'affreux besoin de plaire aux gens,

L'affreux besoin de plaire aux gens trop indulgents,

Hommes prompts aux complots, femmes tôt adultères,

Tous préjugés, mourez sous mes mains militaires!

Mais pour qu'un bien beau fruit récompense ma paix,

Fleurisse dans tout moi la fleur des divins Mais,

Votre amour, Mère tendre, et votre culte tendre.

Ah! vous aimer, n'aimer Dieu que par vous, ne tendre

A lui qu'en vous sans plus aucun détour subtil,

Et mourir avec vous tout près.

Ainsi soit-il!

A VICTOR HUGO
EN LUI ENVOYANT «SAGESSE»

Nul parmi vos flatteurs d'aujourd'hui n'a connu

Mieux que moi la fierté d'admirer votre gloire:

Votre nom m'enivrait comme un nom de victoire,

Votre œuvre, je l'aimais d'un amour ingénu.

Depuis, la Vérité m'a mis le monde à nu.

J'aime Dieu, son Église, et ma vie est de croire

Tout ce que vous tenez, hélas! pour dérisoire,

Et j'abhorre en vos vers le Serpent reconnu.

J'ai changé. Comme vous. Mais d'une autre manière.

Tout petit que je suis j'avais aussi le droit

D'une évolution, la bonne, la dernière.

Or, je sais la louange, ô maître, que vous doit

L'enthousiasme ancien; la voici franche, pleine,

Car vous me fûtes doux en des heures de peine.

SAINT BENOIT-JOSEPH LABRE
JOUR DE LA CANONISATION

Comme l'Église est bonne en ce siècle de haine,

D'orgueil et d'avarice et de tous les péchés,

D'exalter aujourd'hui le caché des cachés,

Le doux entre les doux à l'ignorance humaine

Et le mortifié sans pair que la Foi mène,

Saignant de pénitence et blanc d'extase, chez

Les peuples et les saints, qui, tous sens détachés,

Fit de la Pauvreté son épouse et sa reine,

Comme un autre Alexis, comme un autre François,

Et fut le Pauvre affreux, angélique, à la fois

Pratiquant la douceur, l'horreur de l'Évangile!

Et pour ainsi montrer au monde qu'il a tort

Et que les pieds crus d'or et d'argent sont d'argile,

Comme l'Église est tendre et que Jésus est fort!

PARABOLES

Soyez béni, Seigneur, qui m'avez fait chrétien

Dans ces temps de féroce ignorance et de haine;

Mais donnez-moi la force et l'audace sereine

De vous être à toujours fidèle comme un chien,

De vous être l'agneau destiné qui suit bien

Sa mère et ne sait faire au pâtre aucune peine,

Sentant qu'il doit sa vie encore, après sa laine,

Au maître, quand il veut utiliser ce bien,

Le poisson, pour servir au Fils de monogramme,

L'ânon obscur qu'un jour en triomphe il monta,

Et, dans ma chair, les porcs qu'à l'abîme il jeta.

Car l'animal, meilleur que l'homme et que la femme,

En ces temps de révolte et de duplicité

Fait son humble devoir avec simplicité.

SONNET HÉROIQUE

La Gueule parle: «L'or, et puis encore l'or,

Toujours l'or, et la viande, et les vins, et la viande,

Et l'or pour les vins fins et la viande, on demande

Un trou sans fond pour l'or toujours et l'or encor!»

La Panse dit: «A moi la chute du trésor!

La viande, et les vins fins, et l'or, toute provende,

A moi! Dégringolez dans l'outre toute grande

Ouverte du Seigneur Nabuchodonosor!»

L'œil est de pur cristal dans les suifs de la face:

Il brille, net et franc, près du vrai, rouge et faux,

Seule perfection parmi tous les défauts.

L'Ame attend vainement un remords efficace,

Et dans l'impénitence agonise de faim

Et de soif, et sanglote en pensant à LA FIN.

PENSÉE DU SOIR

A ERNEST RAYNAUD

Couché dans l'herbe pâle et froide de l'exil,

Sous les ifs et les pins qu'argente le grésil,

Ou bien errant, semblable aux formes que suscite

Le rêve, par l'horreur du paysage scythe,

Tandis qu'autour, pasteurs de troupeaux fabuleux,

S'effarouchent les blancs Barbares aux yeux bleus,

Le poète de l'art d'Aimer, le tendre Ovide

Embrasse l'horizon d'un long regard avide

Et contemple la mer immense tristement.

Le cheveu poussé rare et gris que le tourment

Des bises va mêlant sur le front qui se plisse,

L'habit troué livrant la chair au froid, complice,

Sous l'aigreur du sourcil tordu, l'œil terne et las,

La barbe épaisse, inculte et presque blanche, hélas!

Tous ces témoins qu'il faut d'un deuil expiatoire

Disent une sinistre et lamentable histoire

D'amour excessif, d'âpre envie et de fureur

Et quelque responsabilité d'Empereur.

Ovide morne pense à Rome et puis encore

A Rome que sa gloire illusoire décore.

Or, Jésus! vous m'avez justement obscurci:

Mais n'étant pas Ovide, au moins je suis ceci.

BONHEUR

I

L'incroyable, l'unique horreur de pardonner,
Quand l'offense et le tort ont eu cette envergure,
Est un royal effort qui peut faire figure
Pour le souci de plaire et le soin d'étonner;
L'orgueil, qu'il faut, se doit prévaloir sans scrupule
Et s'endormir pur, fort des péchés expiés,
Doux, le front dans les cieux reconquis, et les pieds
Sur cette humanité toute honte et crapule
Ou plutôt et surtout, gloire à Dieu qui voulut
Au cœur qu'un rien émeut, tel sous des doigts un luth,
Faire un peu de repos dans l'entier sacrifice.
Paix à ce cœur enfin de bonne volonté
Qui ne veut battre plus que vers la Charité,
Et que votre plaisir, ô Jésus, s'assouvisse.

II

La vie est bien sévère
A cet homme trop gai:
Plus le vin dans le verre
Pour le sang fatigué,
Plus l'huile dans la lampe
Pour les yeux et la main,
Plus l'envieux qui rampe
Pour l'orgueil surhumain,
Plus l'épouse choisie
Pour vivre et pour mourir,
En qui l'on s'extasie

Pour s'aider à souffrir,
Hélas! et plus les femmes
Pour le cœur et la chair,
Plus la Foi, sel des âmes,
Pour la peur de l'Enfer,
Et ni plus l'Espérance
Pour le ciel mérité
Par combien de souffrance!
Rien. Si. La Charité.
Le pardon des offenses
Comme un déchirement,
L'abandon des vengeances
Comme un délaissement,
Changer au mieux le pire,
A la méchanceté
Déployant son empire,
Opposer la bonté,
Peser, se rendre compte.
Faire la part de tous,
Boire la bonne honte,
Être toujours plus doux...
Quelque chaleur va luire
Pour le cœur fatigué,
La vie enfin sourire
A cet homme trop gai.
Et puisque je pardonne,
Mon Dieu, pardonnez-moi,
Ornant l'âme enfin bonne
D'espérance et de foi.

III

Après la chose faite, après le coup porté
Après le joug très dur librement accepté,
Et le fardeau, plus lourd que le ciel et la terre,
Levé d'un dos vraiment et gaîment volontaire,
Après la bonne haine et la chère rancœur,
Le rêve de tenir, implacable vainqueur,
Les ennemis du cœur et de l'âme et les autres;
De voir couler des pleurs plus affreux que les nôtres
De leurs yeux dont on est le Moïse au rocher,
Tout ce train mis en fuite, et courez le chercher!
Alors on est content comme au sortir d'un rêve,
On se retrouve net, clair, simple, on sent que crève
Un abcès de sottise et d'erreur, et voici
Que de l'éternité, symbole en raccourci
Toute une plénitude afflue, alme et s'installe,
L'être palpite entier dans la forme totale,
Et la chair est moins faible et l'esprit moins prompt;
Désormais, on le sait, on s'y tient, fleuriront
Le lys du faire pur, celui du chaste dire,
Et, si daigne Jésus, la rose du martyre.
Alors on trouve, ô Dieu si lent à vous venger,
Combien doux est le joug et le fardeau léger!
Charité, la plus forte entre toutes les Forces,
Tu veux dire, saint piège aux célestes amorces,
Les mains tendres du fort, de l'heureux et du grand
Autour du sort plaintif du faible et du souffrant.
Le regard franc du riche au pauvre exempt d'envie
Ou jaloux, et ton nom encore signifie

Quelle douceur choisie, et quel droit dévouement,

Et ce tact virginal, et l'ange exactement!

Mais l'ange est innocent, essence bienheureuse,

Il n'a point à passer par notre vie affreuse

Et toi, Vertu sans pair, presqu'Une, n'es-tu pas

Humaine en même temps que divine, ici-bas?

Aussi la conscience a dû, pour des fins sûres,

Surtout sentir en toi le pardon des injures.

Par toi nous devenons semblables à Jésus

Portant sa croix infâme et qui, cloué dessus,

Priait pour ses bourreaux d'Israël et de Rome,

A Jésus qui, du moins, homme avec tout d'un homme,

N'avait, lui, jamais eu de torts de son côté,

Et, par Lui, tu nous fais croire en l'éternité.

IV

De plus, cette ignorance de Vous!

Avoir des yeux et ne pas vous voir,

Une âme et ne pas vous concevoir.

Un esprit sans nouvelles de Vous!

O temps, ô mœurs qu'il en soit ainsi,

Et que ce vase de belles fleurs,

Qu'un tel vase, précieux d'ailleurs,

De la plus belle se passe ainsi!

Religion, unique raison,

Et seule règle et loi, piété,

Rien, là, de vous n'a jamais été,

Pas un penser juste, une oraison!

Aussi cette ignorance de tout!

Et de soi-même, droits et devoirs

Et des autres, leurs justes pouvoirs,

Leur action légitime et tout!

Jusqu'à méconnaître en moi quel nom,

Quel titre augural et de par Dieu!

Et six ans passés à plaire à Dieu,

Vertu réelle, effort bel et bon!

Jusqu'à ne pas se douter vraiment

Du tour affreux et plus que cruel

Qu'un sot grief, à peine réel,

Inflige à ses revanches vraiment.

Éclairez ces ténèbres de mort,

C'est votre créature après tout.

L'ignorance invincible l'absout.

Bah! claire et bonne lui soit la mort.

V

L'homme pauvre de cœur est-il si rare, en somme?

Non. Et je suis cet homme et vous êtes cet homme,

Et tous les hommes sont cet homme ou furent lui,

Ou le seront quand l'heure opportune aura lui.

Conçus dans l'agonie épuisée et plaintive

De deux désirs que, seul, un feu brutal avive,

Sans vestige autre nôtre, à travers cet émoi,

Qu'une larme de quoi! que pleure quoi! dans quoi!

Nés parmi la douleur, le sang et la sanie

Nus, de corps sans instinct et d'âme sans génie

Pour grandir et souffrir par l'âme et par le corps,

Vivant au jour le jour, bernés de vœux discors,

Pour mourir dans l'horreur fatale et la détresse,

Quoi de nous, dès qu'en nous la question se dresse?

Quoi? qu'un être capable au plus de moins que peu
En dehors du besoin d'aimer et de voir Dieu
Et quelque chose, au front, du fond du cœur te monte
Qui ressemble à la crainte et qui tient de la honte,
Quelque chose, on dirait, d'encore incomplété,
Mais dont la Charité ferait l'Humilité.
Lors, à quelqu'un vraiment de nature ingénue
Sa conscience n'a qu'à dire: continue,
Si la chair n'arrivait à son tour, en disant:
Arrête, et c'est la guerre en ce juste à présent.
Mais tout n'est pas perdu malgré le coup si rude:
Car la chair avant tout est chose d'habitude,
Elle peut se plier et doit s'acclimater.
C'est son droit, son devoir, la loi de la mater
Selon les strictes lois de la bonne nature.
Or la nature est simple, elle admet la culture,
Elle procède avec douceur, calme et lenteur.
Ton corps est un lutteur, fais-le vivre en lutteur,
Sobre et chaste abhorrant, l'excès de toute sorte,
Femme qui le détourne et vin qui le transporte
Et la paresse pire encore que l'excès.
Enfin pacifié, puis apaisé,—tu sais
Quels sacrements il faut pour cette tâche intense,
Et c'est l'Eucharistie après la Pénitence,—
Ce corps allégé, libre et presque glorieux,
Dûment redevenu, dûment laborieux,
Va se rompre au plutôt, s'assouplir au service
De ton esprit d'amour, d'offre et de sacrifice,
Subira les saisons et les privations,

Enfin sera le temple embaumé d'actions

De grâce, d'encens pur et de vertus chrétiennes,

Et tout retentissant de psaumes et d'antiennes

Qu'habite l'Esprit-Saint et que daigne Jésus

Visiter comparable aux bons rois bien reçus.

De ce moment, toi, pauvre avec pleine assurance,

Après avoir prié pour la persévérance,

Car, docte charité tout d'abord pense à soi,

Puise au gouffre infini de la Foi—plus de foi—

Que jamais et présente à Dieu ton vœu bien tendre,

Bien ardent, bien formel et de voir et d'entendre

Les hommes t'imiter, même te dépasser

Dans la course au salut, et pour mieux les pousser

A ces fins que le ciel en extase contemple,

Bien humble, (souviens-toi!) prêcheur, prêche d'exemple!

VI

Bon pauvre, ton vêtement est léger

Comme une brume,

Oui, mais aussi ton cœur, il est léger

Comme une plume,

Ton libre cœur qui n'a qu'à plaire à Dieu,

Ton cœur bien quitte

De toute dette humaine, en quelque lieu

Que l'homme habite,

Ta part de plaisir et d'aise paraît

Peu suffisante.

Ta conscience, en revanche, apparaît

Satisfaisante,

Ta conscience que, précisément,

Tes malheurs mêmes
Ont dégagée, en ce juste moment,
Des soins suprêmes.
Ton boire et ton manger sont, je le crains,
Tristes et mornes;
Seulement ton corps faible a, dans ses reins,
Sans fin ni bornes,
Des forces d'abstinence et de refus
Très glorieuses,
Et des ailes vers les cieux entrevus
Impérieuses.
Ta tête, franche de mets et de vin,
Toute pensée,
Tout intellect, conforme au plan divin,
Haut redressée,
Ta tête est prête à tout enseignement
De la parole
Et, de l'exemple de Jésus clément
Et bénévole.
Et de Jésus terrible, prêt au pleur
Qu'il faut qu'on verse,
A l'affront vil qui poigne, à la douleur
Lente qui perce,
Le monde pour toi seul, le monde affreux
Devient possible,
T'environnant, toi qu'il croit malheureux,
D'oubli paisible,
Même t'ayant d'étonnantes douceurs
Et ces caresses!

Les femmes qui sont parfois d'âpres sœurs,
D'aigres maîtresses,
Et de douloureux compagnons toujours
Ou toujours presque,
Te jaugeant malfringant, aux gestes lourds,
Un peu grotesque,
Tout à fait incapable de n'aimer
Qu'à les voir belles.
Qu'à les trouver bonnes et de n'aimer
Qu'elles en elles,
Et le pesant si léger que ce n'est
Rien de le dire,
Te dispenseront, tous comptes au net,
De leur sourire.
Et te voilà libre, à dîner, en roi.
Seul à ta table,
Sans nul flatteur, quel fléau pour un roi,
Plus détestable?
L'assassin, l'escroc et l'humble voleur
Qui n'y voient guère
De nuance, t'épargnent comme leur
Plus jeune frère.
Des vertus surérogatoires, la
Prudence humaine,
(L'autre, la cardinale, ah! celle-là
Que Dieu t'y mène!)
L'amabilité, l'affabilité
Quasi célestes,
Sans rien d'affecté, sans rien d'apprêté,

Franches, modestes,
Nimbent le destin, que Dieu te voulut
Tendre et sévère,
Dans l'intérêt surtout de ton salut,
A bien parfaire
Et pour ange contre le lourd méchant
Toujours stupide
La clairvoyance te guide en marchant,
Fine et rapide,
La clairvoyance, qui n'est pas du tout
La Méfiance
Et qui plutôt serait pour sommer tout,
La Prévoyance,
Élicitant les gens de prime-saut
Sous les grimaces
Faisant sortir la sottise du sot,
Trouvant des traces.
Et médusant la curiosité
De l'hypocrite
Par un regard entre les yeux planté
Qui brûle vite…
Et s'il ose rester des ennemis
A ta misère,
Pardonne-leur, ainsi que l'a promis
Ton Notre-Père…
Afin que Dieu te pardonne aussi, Lui,
Prends cette avance.
Car, dans le mal fait au prochain, c'est Lui
Seul qu'on offense.

VII

Écrit en 1888.

Le «sort» fantasque qui me gâte à sa manière

M'a logé cette fois, peut-être la dernière

Et la dernière c'est la bonne—à l'hôpital!

De mon rêve à ceci le réveil est brutal

Mais explicable par le fait d'une voleuse,

(Dont l'histoire posthume est, dit-on, graveleuse)

Du fait d'un rhumatisme aussi, moindre détail;

Puis d'un gîte où l'on est qu'importe le portail?

J'y suis, j'y vis. «Non, j'y végète», on rectifie;

On se trompe. J'y vis dans le strict de la vie,

Le pain qu'il faut, pas trop de vin, et mieux couché!

Évidemment j'expie un très ancien péché

(Très ancien?) dont mon sang a des fois la secousse,

Et la pénitence est relativement douce

Dans le martyrologe et sur l'armorial

Des poètes, peut-être un peu proverbial.

C'est un lieu comme un autre, on en prend l'habitude:

A prison bonne enfant longanime Latude.

Sans compter qu'au rimeur, pour en parler, alors!

Pauvre et fier, il ne reste qu'à mourir dehors

Ou tout comme, en ces temps vraiment trop peu propices,

Et mourir pour mourir, Muse qui me respices,

Autant le faire ici qu'ailleurs, et même mieux,

Sinon qu'ici l'on est tout «laïque», les vieux

Abus sont réformés et le «citoyen», libre!

Et fort! doit, ou l'État perdrait son équilibre,

Avec ça qu'il n'est pas à cheval sur un pal!—

Mourir dans les bras du Conseil Municipal,

Mal rassurante et pas assez édifiante

Conclusion pour tel, qu'un vœu mystique hante,

Moi par exemple, j'en forme l'aveu sans fard,

Me dût-on traiter d'âne ou d'impudent cafard.

La conversation, dans ce modeste asile,

Ne m'est pas autrement pénible et difficile!

Ces braves gens, que le Journal rend un peu sots,

Du moins ont conservé, malgré tous les assauts

Que «l'Instruction» livre à leur tête obsédée,

Quelque saveur encor de parole et d'idée;

La Révolution, qu'il faut toujours citer

Et condamner, n'a pu complètement gâter

Leur trivialité non sans grâce et sincère.

Même je les préfère aux mufles de ma sphère

Certes! et je subis leur choc sans trop d'émoi.

Leur vice et leur vertu sont juste à point pour moi

Les goûter et me plaire en ces lieux salutaires

A (comme moi) des espèces de solitaires,

Espèce de couvent moins cet espoir chrétien!

Le monde est tel qu'ici je n'ai besoin de rien

Et que j'y resterais, ma foi, toute ma vie,

Sans grands jaloux, j'espère, et pour sûr, sans envie!

Si, dès guéri, si je guéris, car tout se peut,

Je n'avais quelque chose à faire, que Dieu veut.

VIII

Prêtres de Jésus-Christ, la vérité vous garde.

Ah! soyez ce que pense une foule bavarde

Ou ce que le penseur lui-même dit de vous.

Bassement orgueilleux, haineusement jaloux,
Avares, impurs, durs, la vérité vous garde.
Et, de fait, nul de vous ne risque, ne hasarde
Un seul pan du prestige, un seul pli du drapeau,
Tant la doctrine exacte et du Bien et du Beau
Est là, qui vous maintient entre ses hauts dilemmes.
Plats comme les bourgeois, vautrés dans des Thélèmes
Ou guindés vers l'honneur pharisaïque alors,
Qu'importe, si Jésus, plus fort que des cœurs morts,
Règne par vos dehors du reste incontestables?
Cultes respectueux, formules respectables,
Un emploi libéral et franc des Sacrements
(Car les temps ont du moins, dans leurs relâchements,
Parmi plus d'une bonne et délicate chose,
Laissé tomber l'affreux jansénisme morose)
Et ce seul mot sur votre enseigne: Charité!
Mal gracieux, sans goût aucun, même affecté,
Pour si peu que ce soit d'art et de poésie,
Incapables d'un bout de lecture choisie,
D'un regard attentif, d'une oreille en arrêt
Pis qu'inconsciemment hostiles, on dirait,
A tout ce qui, dans l'homme et fleurit et s'allume,
Plus lourds que les marteaux et plus lourds qu'une enclume.
Sans même l'étincelle et le bruit triomphant,
Que fait? si Jésus a, pour séduire l'enfant
Et le sage qu'est l'homme en sa double énergie,
Votre théologie et votre liturgic?
D'ailleurs maints d'entre vous, troupeau trié déjà,
Valent mieux que le monde autour qui vous jugea,

Lisent clair, visent droit, entendent net en somme,
Vivent et pensent, plus que non pas un autre homme,
Que tels, mes chers lecteurs, que moi cet écrivain,
Tant leur science est courte et tant mon art est vain!
C'est vrai qu'il sort de vous, comme de votre Maître,
Quand même une vertu qui vous fait reconnaître.
Elle offusque les sots, ameute les méchants,
Remplis les bons d'émois révérents et touchants,
Force indéfinissable ayant de tout en elle,
Comme surnaturelle et comme naturelle,
Mystérieuse et dont vous allez investis,
Grands par comparaison chez les peuples petits.
Vous avez tous les airs de toutes, sinon toutes
Les choses qu'il faut être en l'affre de vos routes.
Si vous ne l'êtes pas, du moins vous paraissez
Tels qu'il faut et semblez dans ce zèle empressés,
Poussant votre industrie et votre économie,
Depuis la sainteté jusqu'à la bonhomie.
Hypocrisie, émet un tiers, ou nullité!
Bonhomie, on doit dire en chœur, et sainteté!
Puisque, ô croyons toujours le bien de préférence,
Mais c'est surtout ce siècle et surtout cette France,
Que charme et que bénit, à quelques fins de Dieu?
Votre ombre lumineuse et réchauffante un peu,
Seul bienfait apparent de la grâce invisible
Sur la France insensée et le siècle insensible,
Siècle de fer et France, hélas! toute de nerfs,
France d'où détalant partout comme des cerfs,
Les principes, respect, l'honneur de sa parole,

Famille, probité, filent en bande folle,
Siècle d'âpreté juive et d'ennuis protestants,
Noyant tout, le superbe et l'exquis des instants,
Au remous gris de mers de chiffres et de phrases.
Vous, phares doux parmi ces brumes et ces gazes,
Ah! luisez-nous encore et toujours jusqu'au jour,
Jusqu'à l'heure du cœur expirant vers l'amour
Divin, pour refleurir éternel dans la même
Charité loin de cette épreuve froide et blême.
Et puis, en la minute obscure des adieux,
Flambez, torches d'encens, et rallumez nos yeux
A l'unique Beauté, toute bonne et puissante,
Brûlez ce qui n'est plus la prière innocente,
L'aspiration sainte et le repentir vrai!
Puisse un prêtre être là, Jésus, quand je mourrai!

IX

Guerrière, militaire et virile en tout point,
La sainte Chasteté que Dieu voit la première,
De toutes les vertus marchant dans sa lumière
Après la Charité distante presque point,
Va d'un pas assuré mieux qu'aucune amazone
A travers l'aventure et l'erreur du Devoir,
Ses yeux grands ouverts pleins du dessein de bien voir,
Son corps robuste et beau digne d'emplir un trône,
Son corps robuste et nu balancé noblement,
Entre une tête haute et des jambes sereines,
Du port majestueux qui sied aux seules reines,
Et sa candeur la vêt du plus beau vêtement.
Elle sait ce qu'il faut qu'elle sache des choses,

Entre autres que Jésus a fait l'homme de chair
Et mis dans notre sang un charme doux-amer
D'où doivent découler nos naissances moroses,
Et que l'amour charnel est bénit en des cas.
Elle préside alors et sourit à ces fêtes,
Dévêt la jeune épouse avec ses mains honnêtes
Et la mène à l'époux par des tours délicats.
Elle entre dans leur lit, lève le linge ultime,
Guide pour le baiser et l'acte et le repos
Leurs corps voluptueux aux fins de bons propos
Et désormais va vivre entre eux leur ange intime.
Puis au-dessus du couple ou plutôt à côté,
—Bien agir fait s'unir les vœux et les nivelle,—
Vers le Vierge et la Vierge isolés dans leur belle
Thébaïde à chacun la sainte Chasteté.
Sans quitter les Amants, par un charmant miracle,
Vole et vient rafraîchir l'Intacte et l'Impollu
De gais parfums de fleurs comme s'il avait plu
D'un bon orage sur l'un et sur l'autre habitacle,
Et vêt de chaleur douce au point et de jour clair
La cellule du Moine et celle de la Nonne,
Car s'il nous faut souffrir pour que Dieu nous pardonne
Du moins Dieu veut punir, non torturer la chair.
Elle dit à ces chers enfants de l'Innocence:
Dormez, veillez, priez. Priez surtout, afin
Que vous n'ayez pas fait tous ces travaux en vain,
Humilité, douceur et céleste ignorance!
Enfin elle va chez la Veuve et chez le Veuf,
Chez le vieux Débauché, chez l'Amoureuse vieille,

Et leur tient des discours qui sont une merveille
Et leur refait, à force d'art, un corps tout neuf.
Et quand alors elle a fini son tour du monde,
Tour du monde ubiquiste, invisible et présent,
Elle court à son point de départ en faisant
Tel grand détour, espoir d'espérance profonde;
Et ce point de départ est un lieu bien connu,
Eden même: là sous le chêne et vers la rose,
Puisqu'il paraît qu'il n'a pas faire autre chose,
Rit et gazouille un beau petit enfant tout nu.

X

Un projet de mon âge mûr
Me tint six ans l'âme ravie:
C'était, d'après un plan bien sûr,
De réédifier ma vie.
Vie encor vivante après tout,
Insuffisamment ruinée,
Avec ses murs toujours debout
Que respecte la graminée,
Murs de vraie et franche vertu,
Fondations intactes certes,
Fronton battu, non abattu,
Sans noirs lichens ni mousses vertes,
L'orgueil qu'il faut et qu'il fallait,
Le repentir quand c'était brave,
Douceur parfois comme le lait,
Fierté souvent comme la lave.
Or, durant ces deux fois trois ans,
L'essai fut bon, grand le courage.

L'œuvre en aspects forts et plaisants

Montait, tenant tête à l'orage.

Un air de grâce et de respect

Magnifiait les calmes lignes

De l'édifice que drapait

L'éclat de la neige et des cygnes...

Furieux mais insidieux,

Voici l'essaim des mauvais anges

Rayant le pur, le radieux

Paysage de vols étranges,

Salissant d'outrages sans nom,

Obscénités basses et fades,

De mon renaissant Parthénon

Les portiques et les façades,

Tandis que quelques-uns d'entre eux,

Minant le sol, sapant la base,

S'apprêtent, par un art affreux,

A faire de tout table rase.

Ce sont, véniels et mortels,

Tous les péchés des catéchismes

Et bien d'autres encore, tels

Qu'ils font les sophismes des schismes.

La Luxure aux tours sans merci,

L'affreuse Avarice morale,

La Paresse morale aussi,

L'Envie à la dent sépulcrale,

La Colère hors des combats,

La Gourmandise, rage, ivresse,

L'Orgueil, alors qu'il ne faut pas,

Sans compter la sourde détresse
Des vices à peine entrevus,
Dans la conscience scrutée,
Hideur brouillée et tas confus,
Tourbe brouillante et ballottée.
Mais quoi! n'est-ce pas toujours vous,
Démon femelle, triple peste,
Pire flot de tout ce remous,
Pire ordure que tout le reste,
Vous toujours, vil cri de haro,
Qui me proclame et me diffame,
Gueuse inepte, lâche bourreau,
Horrible, horrible, horrible femme?
Vous, l'insultant mensonge noir,
La haine longue, l'affront rance,
Vous qui seriez le désespoir,
Si la foi n'était l'Espérance.
Et l'Espérance le pardon,
Et ce pardon une vengeance.
Mais quel voluptueux pardon,
Quelle savoureuse vengeance!
Et tous trois, espérance et foi
Et pardon, chassant la séquelle
Infernale de devant moi,
Protégeront de leur tutelle
Les nobles travaux qu'a repris
Ma bonne volonté calmée,
Pour grâce à des grâces sans prix,
Achever l'œuvre bien-aimée

Toute de marbre précieux
En ordonnance solennelle
Bien par-delà les derniers cieux,
Jusque dans la vie éternelle.

XI

Sois de bronze et de marbre et surtout sois de chair:
Certes, prise l'orgueil nécessaire plus cher,
Pour ton combat avec les contingences vaines;
Que les poils de ta barbe ou le sang de tes veines;
Mais vis, vis pour souffrir, souffre pour expier,
Expie et va-t'en vivre et puis reviens prier,
Prier pour le courage et la persévérance
De vivre dans ce siècle, hélas! et cette France,
Siècle et France ignorants et tristement railleurs.
(Mais le règne est plus haut et la patrie ailleurs
Et la solution est autre du problème.)
Sois de chair et même aime cette chair, la même
Que celle de Jésus sur terre et dans les cieux,
Et dans le Très Saint-Sacrement si précieux
Qu'il n'est de comparable à sa valeur que celle
De ta chair vénérable en sa moindre parcelle
Et dans le moindre grain de l'Hostie à l'autel;
Car ce mystère, l'Incarnation, est tel,
Par l'exégèse autour comme par sa nature;
Qu'il fait égale au Créateur la créature,
Cependant que, par un miracle encor plus grand,
L'Eucharistie, elle, les confond et les rend
Identiques. Or cette chair expiatoire,
Fais-t'en une arme douloureuse de victoire

Sur l'orgueil que Satan peut d'elle t'inspirer
Pour l'orgueil qu'à jamais tu peux considérer
Comme le prix suprême et le but enviable.
Tout le reste n'est rien que malice du diable!
Alors, oui, sois de bronze impassible, revêts
L'armure inaccessible à braver le Mauvais,
Pudeur, Calme, Respect, Silence et Vigilance.
Puis sois de marbre, et pur, sous le heaume qui lance
Par ses trous le regard de tes yeux assurés,
Marche à pas révérents sur les parvis sacrés.

XII

Seigneur, vous m'avez laissé vivre
Pour m'éprouver jusqu'à la fin.
Vous châtiez cette chair ivre,
Par la douleur et par la faim!
Et Vous permîtes que le diable
Tentât mon âme misérable
Comme l'âme forte de Job,
Puis Vous m'avez envoyé l'ange
Qui gagea le combat étrange
Avec le grand aïeul Jacob
Mon enfance, elle fut joyeuse:
Or, je naquis choyé, béni
Et je crûs, chair insoucieuse,
Jusqu'au temps du trouble infini
Qui nous prend comme une tempête,
Nous poussant comme par la tête
Vers l'abîme et prêts à tomber;
Quant à moi, puisqu'il faut le dire,

Mes sens affreux et leur délire
Allaient me faire succomber,
Quand Vous parûtes, Dieu de grâce
Qui savez tout bien arranger,
Qui Vous mettez bien à la place,
L'auteur et l'ôteur du danger,
Vous me punîtes par moi-même
D'un supplice cru le suprême
(Oui, ma pauvre âme le croyait)
Mais qui n'était au fond rien qu'une
Perche tendue, ô qu'opportune!
A mon salut qui se noyait.
Comprises les dures délices,
J'ai marché dans le droit sentier,
Y cueillant sous des cieux propices
Pleine paix et bonheur entier,
Paix de remplir enfin ma tâche,
Bonheur de n'être plus un lâche
Épris des seules voluptés
De l'orgueil et de la luxure,
Et cette fleur, l'extase pure
Des bons projets exécutés.
C'est alors que la mort commence
Son œuvre inexpiable? Non,
Mais qui me saisit de démence
Bien qu'encor criant Votre nom.
L'Ami me meurt, aussi la Mère,
Une rancune plus qu'amère
Me piétine en ce dur moment

Et me cantonne en la misère,

Dans la littérale misère,

Du froid et du délaissement!

Tout s'en mêle: la maladie

Vient en aide à l'autre fléau.

Le guignon, comme un incendie

Dans un pays où manque l'eau,

Ravage et dévaste ma vie,

Traînant à sa suite l'envie,

L'ordre, l'obscène trahison,

La sale pitié dérisoire,

Jusqu'à cette rumeur de gloire

Comme une insulte à la raison!

Ces mystères, je les pénètre,

Tous les motifs, je les connais.

Oui, certes, Vous êtes le maître

Dont les rigueurs sont les bienfaits.

Mais, ô Vous, donnez-moi la force,

Donnez, comme à l'arbre l'écorce.

Comme l'instinct à l'animal,

Donnez à ce cœur votre ouvrage,

Seigneur, la force et le courage

Pour le bien et contre le mal.

Mais, hélas! je ratiocine

Sur mes fautes et mes douleurs,

Espèce de mauvais Racine

Analysant jusqu'à mes pleurs.

Dans ma raison mal assagie

Je fais de la psychologie

Au lieu d'être un cœur pénitent

Tout simple et tout aimable en somme,

Sans plus l'astuce du vieil homme

Et sans plus l'orgueil protestant…

Je crois en l'Église romaine,

Catholique, apostolique et

La seule humaine qui nous mène

Au but que Jésus indiquait,

La seule divine qui porte

Notre croix jusques à la porte

Des libres cieux enfin ouverts,

Qui la porte par vos bras même,

O grand Crucifié suprême

Donnant pour nous vos maux soufferts.

Je crois en la toute-présense,

A la messe de Jésus-Christ,

Je crois à la toute-puissance

Du Sang que pour nous il offrit

Et qu'il offre au seul Juge encore

Par ce mystère que j'adore

Qui fait qu'un homme vain, menteur,

Pourvu qu'il porte le vrai signe

Qui le consacre entre tous digne,

Puisse créer le Créateur.

Je confesse la Vierge unique,

Reine de la neuve Sion,

Portant aux plis de sa tunique

La grâce et l'intercession.

Elle protège l'innocence,

Accueille la résipiscence,
Et debout quand tous à genoux,
Impètre le pardon du Père
Pour le pécheur qui désespère…
Mère du fils, priez pour nous!

XIII

La neige à travers la brume
Tombe et tapisse sans bruit
Le chemin creux qui conduit
A l'église où l'on allume
Pour la messe de minuit.
Londres sombre flambe et fume:
O la chère qui s'y cuit
Et la boisson qui s'ensuit!
C'est Christmas et sa coutume
De minuit jusqu'à minuit.
Sur la plume et le bitume,
Paris bruit et jouit.
Ripaille et Plaisant déduit
Sur le bitume et la plume
S'exaspèrent dès minuit.
Le malade en l'amertume
De l'hospice où le poursuit
Un espoir toujours détruit
S'épouvante et se consume
Dans le noir d'un long minuit…
La cloche au son clair d'enclume
Dans la cour fine qui luit,
Loin du péché qui nous nuit,

Nous appelle en grand costume

A la messe de minuit.

XIV

O! j'ai froid d'un froid de glace,

O! je brûle à toute place!

Mes os vont se cariant,

Des blessures vont criant;

Mes ennemis pleins de joie

Ont fait de moi quelle proie!

Mon cœur, ma tête et mes reins

Souffrent de maux souverains.

Tout me fuit, adieu ma gloire!

Est-ce donc le Purgatoire?

Ou si c'est l'enfer ce lieu

Ne me parlant plus de Dieu?

—L'indignité de ton sort

Est le plaisir d'un plus Fort.

Dieu plus juste, et plus Habile

Que ce toi-même débile.

Tu souffres de tel mal profond

Que des volontés te font,

Plus bénignes que la tienne

Si mal et si peu chrétienne,

Tes humiliations

Sont des bénédictions

Et ces mornes sécheresses

Où tu te désintéresses

De purs avertissements

Descendus de cieux aimants

Tes ennemis sont les anges
Moins cruels et moins étranges
Que bons inconsciemment,
D'un Seigneur rude et clément.
Aime tes croix et tes plaies,
Il est saint que tu les aies.
Face aux terribles courroux,
Bénis et tombe à genoux.
Fer qui coupe et voix qui tance,
C'est la bonne Pénitence.
Sous la glace et dans le feu
Tu retrouveras ton Dieu.

XV

Un scrupule qui m'a l'air sot comme un péché
Argumente.
Dieu vit au sein d'un cœur caché,
Non d'un esprit épars, en milliers de pages,
En millions de mots hardis comme des pages,
A tous les vents du ciel ou plutôt de l'enfer,
Et d'un scandale tel, précisément tout fier.
Il faut pour plaire à Dieu, pour apaiser sa droite,
Suivre le long sentier, gravir la pente étroite,
Sans un soupir de trop, fût-il mélodieux,
Sans un geste au surplus, même agréable aux yeux,
Laisser à d'autres l'art et la littérature
Et ne vivre que juste à même la nature
Tu pratiquais jadis et naguère ces us
Content de reposer à l'ombre de Jésus
Y pansant de vin, d'huile de lin tes blessures

Et maintenant, ingrat à la Croix, tu t'assures
En la gloire profane et le renom païen,
Comme si tout cela n'était pas trois fois rien,
Comme si tel beau vers, telle phrase sonore,
Chantait mieux qu'un grillon, brillait plus qu'un fulgore.
Va, risque ton salut, ton salut racheté
Un temps, par une vie autre, c'est vérité,
Que celle de tes ans primes, enfance molle,
Age pubère fou, jeunesse molle et folle
Risque ton âme, objet de tes soins d'autrefois
Pour quels triomphes vains sur quels banals pavois!
Malheureux!
Je réponds avec raison, je pense:
Je n'attends, je ne veux pas d'autre récompense
A ce mien grand effort d'écrire de mon mieux
Que l'amitié du jeune et l'estime du vieux
Lettrés qui sont au fond les seules belles âmes,
Car où prendre un public en ces foules infâmes
D'idiotie en haut et folles par en bas?
Ou,—le trouver ou pas, le mériter ou pas,
Le conserver ou pas!—l'assentiment d'un être
Simple, naïf et bon, sans même le connaître
Que par ce seul lien comme immatériel,
C'est tout mon attentat au seul devoir réel,
Essentiel: gagner le ciel par les mérites,
Et je doute, Jésus pieux, que tu t'irrites
Pour quelque doux rimeur chantant ta gloire ou bien
Étalant ses péchés au pilori chrétien;
Tu ne suscites pas l'aspic et la couleuvre

Contre un poème ou contre un poète. Ton œuvre,

Consolant les ennuis de ce morne séjour

Par un concert de foi, d'espérance et d'amour;

Puis ne me fis-tu pas, avec le don de vivre,

Le don aussi, sans quoi je meurs! de faire un livre,

Une œuvre où s'attestât toute ma quantité,

Toute, bien mal, la force et l'orgueil révolté

Des sens et leur colère encore qui sont la même

Luxure au fond et bien la faiblesse suprême,

Et la mysticité, l'amour d'aller au ciel

Par le seul graduel du juste graduel,

Douceur et charité, seule toute-puissance.

Tu m'as donné ce don, et par reconnaissance

J'en use librement, qu'on me blâme, tant pis.

Quant à quêter les voix, quant à téter les pis

De dame Renommée, à ses heures marâtre,

Fi!

Mais pour en finir, leur foyer ou son âtre

Souffrent-ils de mon cas? Quelle poutre en mon œil,

Quelle paille en votre œil de ce fait? De quel deuil,

De quel scandale vers ou proses sont-ils cause

Dont cela vaille un peu la peine qu'on en cause?

XVI

Après le départ des cloches

Au milieu du GLORIA,

Dès l'heure ordinaire des vêpres

On consacre les Saintes Huiles

Qu'escorte ensuite un long cortège

De pontifes et de lévites.

Il pluvine, il neigeotte,

L'hiver vide sa hotte.

Le tabernacle bâille, vide,

L'autel, tout nu, n'a plus de cierges,

De grands draps noirs pendent aux grilles,

Les orgues saintes sont muettes.

Du brouillard danse à même

Le ciel encore blême.

On dispense à flots d'eau bénite,

Toutes cires sont allumées,

Et de solennelle musique

S'enfle au chœur et monte au jubé,

Un clair soleil qui grise

Réchauffe l'âpre bise.

GLORIA! Voici les cloches

Revenir! ALLELUIA!

XVII

L'ennui de vivre avec les gens et dans les choses

Font souvent ma parole et mon regard moroses.

Mais d'avoir conscience et souci dans tel cas

Exhausse ma tristesse, ennoblit mon tracas.

Alors mon discours chante et mes yeux de sourire

Où la divine certitude vient de luire

Et la divine patience met son sel

Dans mon long bon conseil d'usage universel.

Car non pas tout à fait par un effet de l'âge

A mes heures je suis une façon de sage,

Presque un sage sans trop d'emphase ou d'embarras,

Répandant quelque bien et faisant des ingrats.

Or néanmoins la vie et son morne problème
Rendent parfois ma voix maussade et mon front blême,
De ces tentations je me sauve à nouveau
En des moralités juste à mon seul niveau;
Et c'est d'un examen méthodique et sévère,
Dieu qui sondez les reins! que je me considère,
Scrutant mes moindres torts et jusques aux derniers,
Tel un juge interroge à fond des prisonniers.
Je poursuis à ce point l'humeur de mon scrupule
Que des gens ont parlé qui m'ont dit ridicule.
N'importe! en ces moments est-ce d'humilité?
Je me semble béni de quelque charité,
De quelque loyauté, pour parler en pauvre homme,
De quelque encore charité.—Folie en somme!
Nous ne sommes rien. Dieu c'est tout. Dieu nous créa,
Dieu nous sauve. Voilà! Voici mon aléa:
Prier obstinément. Plonger dans la prière,
C'est se tremper aux flots d'une bonne rivière,
C'est faire de son être un parfait instrument
Pour combattre le mal et courber l'élément.
Prier intensément. Rester dans la prière
C'est s'armer pour l'élan et s'assurer derrière
C'est de paraître doux et ferme pour autrui
Conformément à ce qu'on se rend envers lui.
La prière nous sauve après nous faire vivre,
Elle est le gage sûr et le mot qui délivre.
Elle est l'ange et la dame, elle est la grande sœur
Pleine d'amour sévère et de forte douceur.
La prière a des pieds légers comme des ailes;

Et des ailes pour que ses pieds volent comme elles;

La prière est sagace; elle pense, elle voit,

Scrute, interroge, doute, examine, enfin croit.

Elle ne peut nier, étant par excellence

La crainte salutaire et l'effort en silence,

Elle est universelle et sanglotte ou sourit,

Vole avec le génie et court avec l'esprit.

Elle est ésotérique ou bégaie, enfantine

Sa langue est indifféremment grecque ou latine,

Ou vulgaire, ou patoise, argotique s'il faut!

Car souvent plus elle est en bas, mieux elle vaut.

Je me dis tout cela, je voudrais bien le faire,

O Seigneur, donnez-moi de m'élever de terre

En l'humble vœu que seul peut former un enfant

Vers votre volonté d'après comme d'avant.

Telle action quelconque en tel temps de ma vie

Et que cette action quelconque soit suivie

D'un abandon complet en vous que formulât

Le plus simple et le plus ponctuel postulat,

Juste pour la nécessité quotidienne

En attendant toujours sans fin, ma mort chrétienne.

XVIII

A MONSIEUR BORÉLY.

Vous m'avez demandé quelques vers sur «Amour».

Ce mien livre, d'émoi cruel et de détresse,

Déjà loin dans mon Œuvre étrange qui se presse

Et dévale, flot plus amer de jour en jour.

Qu'en dire, sinon: «Poor Yorick!» ou mieux «poor

Lelian!» et pauvre âme à tout faire, faiblesse,

Mollesse par des fois et caresse et paresse,

Ou tout à coup partie en guerre comme pour

Tout casser d'un passé si pur, si chastement

Ordonné par la beauté des calmes pensées,

Et pour damner tant d'heures en Dieu dépensées.

Puis il revient, mon Œuvre, las d'un tel ahan,

Pénitent, et tombant à genoux mains dressées…

Priez avec et pour le pauvre Lelian!

XIX

Or tu n'es pas vaincu, sinon par le Seigneur,

Oppose au siècle un front de courage et d'honneur

Bande ton cœur moins faible au fond que tu ne crois,

Ne cherche, en fait d'abri, que l'ombre de la croix.

Ceins, sinon l'innocence, hélas! et la candeur,

Du moins la tempérance et du moins la pudeur,

Et dans le bon combat contre péchés et maux

S'il faut, eh bien, emprunte à certains animaux,

Béhémos et Léviathan, prudents qu'ils sont,

Les armures pour la défensive qu'ils ont,

Puisque ton cas, pour l'offensive, est superflu.

Abdique les airs martiaux où tu t'es plu.

Laisse l'épée et te confie au bouclier.

Carapace-toi bien, comme d'un bon acier,

De discrétion fine et de fort quant-à-moi.

Puis, quand tu voudras r'attaquer, reprends la Foi!

XX

Les plus belles voix

De la Confrérie

Célèbrent le mois
Heureux de Marie.
O les douces voix!
Monsieur le curé
L'a dit à la Messe:
C'est le mois sacré.
Écoutons sans cesse
Monsieur le Curé.
Faut nous distinguer,
Faut, mesdemoiselles,
Bien dire et fuguer
Les hymnes nouvelles.
Faut nous distinguer,
Bien dire et filer
Les motets antiques,
Bien dire et couler
Les anciens cantiques,
Filer et couler.
Dieu nous bénira,
Nous et nos familles.
Marie ouïra
Les vœux de ses filles,
Dieu nous bénira.
Elle est la bonté,
C'est comme la Mère
Dans la Trinité,
La Fille et la Mère.
Elle est la bonté,
La compassion,

Sans fin et sans trêve,
L'intercession
Qu'appuie et soulève
La compassion.
Avant le salut,
Chantons ses louanges.
Pendant le salut,
Chantons ses louanges.
Après le salut,
Chantons ses louanges.

XXI

L'autel bas s'orne de hautes mauves,
La chasuble blanche est toute en fleurs,
A travers les pâles vitraux jaunes
Le soleil se répand comme un fleuve;
On chante au graduel: FI-LI-A!
D'une voix si lentement joyeuse
Qu'il faudrait croire que c'est l'extase
D'à-jamais voir la Reine des cieux;
Le sermon du tremblotant vicaire
Est gentil plus que par un dimanche,
Qui dit que pour s'élever dans l'air
Faut être humble et de foi cordiale;
Il ajoute, le cher vieux bonhomme,
Que la gloire ultime est réservée,
Sur tous ceux qui vivent dans la pompe,
Aux pauvres d'esprit et de monnaie;
On sort de l'église, après les vêpres,
Pour la procession si touchante

Qui a nom: du Vœu de Louis Treize:

C'est le cas de prier pour la France.

XXII

L'amour de la Patrie est le premier amour
Et le dernier amour après l'amour de Dieu,
C'est un feu qui s'allume alors que luit le jour
Où notre regard luit comme un céleste feu,
C'est le jour baptismal aux paupières divines
De l'enfant, la rumeur de l'aurore aux oreilles
Frais-écloses, c'est l'air emplissant les poitrines
En fleur, l'air printanier rempli d'odeurs vermeilles!
L'enfant grandit, il sent la terre sous ses pas
Qui le porte, le berce, et, bonne, le nourrit.
Et douce, désaltère encore ses repas
D'une liqueur, délice et gloire de l'esprit.
Puis l'enfant se fait homme ou devient jeune fille
Et ce pendant que croît sa chair pleine de grâce,
Son âme se répand par delà la famille
Et cherche une âme sœur, une chair qu'il enlace;
Et quand il a trouvé cette âme et cette chair,
Il naît d'autres enfants encore, fleurs de fleurs
Qui germeront aussi le jardin jeune et cher
Des générations d'ici, non pas d'ailleurs.
L'homme et la femme ayant l'un et l'autre leur tâche,
S'en vont chacun un peu de son côté. La femme,
Gardienne du foyer tout le jour sans relâche,
La nuit garde l'honneur comme une chaste flamme;
L'homme vaque aux durs soins du dehors: les travaux,
La parole à porter,—sûr de ce qu'elle vaut,—

Sévère et probe et douce, et rude aux discours faux,

Et la nuit le ramène entre les bras qu'il faut.

Tous deux, si pacifique est leur course terrestre,

Mourront bénis de fils et vieux dans la patrie;

Mais que le noir démon, la Guerre, essore l'œstre,

Que l'air natal s'empourpre aux reflets de tuerie,

Que l'étranger mette son pied sur le vieux sol

Nourricier,—imitant les peuples de tous bords,

Saragosse, Moscou, le Russe, l'Espagnol,

La France de Quatre-vingt-treize, l'homme alors,

Magnifié soudain, à son œuvre se hausse

Et tragique et classique et très fort et très calme,

Lutte pour sa maison ou combat pour sa fosse,

Meurt en pensant aux siens ou leur conquiert la palme.

S'il survit, il reprend le train de tous les jours

Élève ses enfants dans la crainte du dieu

Des ancêtres, et va refleurir ses amours

Aux flancs de l'épousée éprise du fier jeu.

L'âge mûr est celui des sévères pensées,

Des espoirs soucieux, des amitiés jalouses,

C'est l'heure aussi des justes haines amassées,

Et quand sur la place publique, habits et blouses,

Les citoyens discords dans d'honnêtes combats

(Et combien douloureux à leur fraternité!)

S'arrachent les devoirs et les droits, ô non pas

Pour le lucre, mais pour une stricte équité,

Il prend parti, pleurant de tuer, mais terrible

Et tuant sans merci, comme en d'autres batailles,

Le sang autour de lui giclant comme d'un crible,

Une atroce fureur, pourtant sainte, aux entrailles.

Tué, son nom, célèbre ou non, reste honoré.

Proscrit ou non, il meurt heureux, dans tous les cas,

D'avoir voué sa vie et tout au Lieu Sacré

Qui le fit homme et tout, de joyeux petit gas.

Sa veuve et ses petits garderont sa mémoire,

La terre sera douce à cet enfant fidèle

Où le vent pur de la Patrie, en plis de gloire,

Frissonnera comme un drapeau tout fleurant d'elle.

Mais quoi donc, le poète, à moins d'être chrétien,

(Le chrétien se fait tel que Jésus dit qu'il soit)

Comment en ces temps-ci ce très fier peut-il bien

Aimer la France ainsi qu'il doit comme il la voit,

Dépravée, insensée, une fille, une folle

Déchirant de ses mains la pudeur des aïeules

Et l'honneur ataval et, l'antique parole,

La parlant en argot pour des sottises seules,

L'amour, l'évaporant en homicides vils

D'où quelque pâle enfant, rare fantôme, sort,

Son Dieu, le reniant pour quels crimes civils!

Prête à mourir d'ailleurs de quelle lâche mort!

Lui-même que Dieu voit être un pur patriote

L'affamant aujourd'hui, le prescrivant naguère,

Pour n'avoir pas voulu boire comme un ilote

Le gros vin du scandale au verre du vulgaire,

Le dénonçant aux sots pires que les méchants,

Bourreaux mesquins, non moins d'ailleurs que tels méchants

Pire que tous, à cause, ô honte! que ses chants

Faisaient honte à plusieurs à cause de leurs chants,

Enfin, méconnaissant et l'heure et le génie
Jusqu'à ce péché noir entre tous ceux de l'homme,
Jusqu'à ce plongeon dans toute l'ignominie
D'insulter l'ange comme en l'unique Sodome!
Mais le poète est un chrétien qui dit: «Non pas!»
A ces comme velléités d'être tenté
Vers les déclamations par la Pauvreté,
Et d'elles dans l'horreur du premier mauvais pas.
«Non pas!» puis s'adressant à la Vierge Marie:
«O vous, reine de France et de toute la terre,
Vous qui fidèlement gardez notre patrie
Depuis les premiers temps jusqu'à cette heure austère
Où chacun a besoin du courage de dix
S'il veut garder sa foi par ses pertes de fois,
La pratiquer tout simplement, ainsi jadis,
Puis y mourir tout simplement, comme autrefois!
Depuis les Notre-Dame au-dessus des ancêtres
Profilant leur prière immense et solennelle
Jusqu'aux mois de Marie, échos des soirs champêtres
Sourire de l'Église aux cœurs vierges en elle,
Depuis que notre culte intronisait nos rois,
Depuis que notre sang teignait votre pennon
Jusqu'au jour où quel Dogme à travers tant d'effrois
Ajoutait quel honneur encore à votre nom,
Vous qui, multipliant miracles et promesses,
De la Sainte-Chandelle à la Salette et Lourdes,
Daignez faire chez nous éclore des prouesses
Même en ces temps d'horreur d'État louches et sourdes,
Mère, sauvez la France, intercédez pour nous,

Donnez-nous la foi vive et surtout l'humble foi,

Que l'âme de tous nos aïeux brûle en nous tous

Pour la vie et la mort, au foyer, dans la loi,

Dans le lit conjugal, sur la couche dernière,

Simple et forte et sincère et bellement naïve,

Pour qu'en les chocs prévus, virils à sa manière,

Qui fut la bonne quand elle dut être active,

Si Dieu nous veut vaincus, du moins nous le soyons

En exemple, lavant hier par aujourd'hui

Et faits, après l'horreur, l'honneur des nations,

Et s'il nous veut vainqueurs nous le soyons pour lui.»

XXIII

Immédiatement après le salut somptueux,

Le luminaire éteint moins les seuls cierges liturgiques,

Les psaumes pour les morts sont dits sur un mode mineur

Par les clercs et le peuple saisi de mélancolie.

Un glas lent se répand des clochers de la cathédrale,

Répandu par tous les campaniles du diocèse,

Et plane et pleure sur les villes et sur la campagne

Dans la nuit tôt venue en la saison arriérée.

Chacun s'en fut coucher reconduit par la voix dolente

Et douce à l'infini de l'airain commémoratoire

Qui va bercer le sommeil un peu triste des vivants

Du souvenir des décédés de toutes les paroisses.

XXIV

La cathédrale est majestueuse

Que j'imagine en pleine campagne

Sur quelque affluent de quelque Meuse

Non loin de l'Océan qu'il regagne,

L'Océan pas vu que je devine

Par l'air chargé de sels et d'aromes.

La croix est d'or dans la nuit divine

D'entre l'envol des tours et des dômes;

Des Angélus font aux campaniles

Une couronne d'argent qui chante;

De blancs hibous, aux longs cris graciles,

Tournent sans fin de sorte charmante;

Des processions jeunes et claires

Vont et viennent de porches sans nombre,

Soie et perles de vivants rosaires,

Rogations pour de chers fruits d'ombre.

Ce n'est pas un rêve ni la vie,

C'est ma belle et ma chaste pensée,

Si vous voulez ma philosophie,

Ma mort choisie ainsi déguisée.

XXV

Voix de Gabriel

Chez l'humble Marie,

Cloches de Noël,

Dans la nuit fleurie,

Siècles, célébrez

Mes sens délivrés!

Martyrs, troupe blanche,

Et les confesseurs,

Fruits d'or de la branche,

Vous, frères et sœurs,

Vierges dans la gloire,

Chantez ma victoire!

Les Saints ignorés,

Vertus qu'on méprise,

Qui nous sauverez

Par votre entremise,

Priez que la foi

Demeure humble en moi.

Pécheurs, par le monde,

Qui vous repentez,

Dans l'ardeur profonde

D'être rachetés,

Or, je vous contemple,

Donnez-moi l'exemple.

Nature, animaux,

Eaux, plantes et pierres,

Vos simples travaux

Sont d'humbles prières,

Vous obéissez:

Pour Dieu c'est assez.

LITURGIES INTIMES

ASPERGES ME

I

Moi qui ne suis qu'un brin d'hysope dans la main
Du Seigneur tout-puissant qui m'octroya la grâce,
Je puis, si mon dessein est pur devant sa face,
Purifier autrui passant sur mon chemin.
Je puis, si ma prière est de celles qu'allège
L'Humilité du poids d'un désir languissant
Comme un païen peut baptiser en cas pressant,
Laver mon prochain, le blanchir plus que la neige.
Prenez pitié de moi, Seigneur, suivant l'effet
Miséricordieux de vos mansuétudes,
Veuillez bander mon cœur, cœur aux épreuves rudes,
Que le zèle pour votre maison soulevait.
Faites-moi prospérer dans mes vœux charitables,
Et pour cela, suivant le rite respecté,
Gloire à la Trinité durant l'éternité.
Gloire à Dieu dans les cieux les plus inabordables,
Gloire au Père, fauteur et gouverneur de tout,
Au Fils, créateur et sauveur, juge et partie,
Au Saint-Esprit, de qui la lumière est sortie
Par quel rayon?—ainsi qu'une eau lustrale, mon sang bout,—
Moi qui ne suis qu'un brin d'hysope dans la main...

AVENT

II

«Dans les Avents», comme l'on dit
Chez mes pays qui sont rustiques

Et qui patoisent un petit

Entre autres usages antiques,

«Dans les Avents les côs chantont»,

Toute la nuit, grâce à la lune

«Clartive» alors, et dont le front

S'argente et cuivre dès la brune

Jusqu'à l'aube en peu d'ombre et ces

Chante-clair, clair comme un beau rêve,

Proclament jusques à l'excès

Le soleil... qui plus tard se lève,

Trop tard pour ceux qui sont reclus

Au poulailler,—tout comme une âme

Ne tendant que vers les élus,

Dans le péché, prison infâme,—

Et comme une âme les bons coqs,

Vigilants, tels au temps de Pierre,

Souffrent, mais, en dépit des chocs

D'ombre, chantent, et l'âme espère.

NOËL

III

Petit Jésus qu'il nous faut être,

Si nous voulons voir Dieu le Père,

Accordez-nous d'alors renaître

En purs bébés, nus, sans repaire

Qu'une étable, et sans compagnie

Qu'une âne et qu'un bœuf, humble paire;

D'avoir l'ignorance infinie

Et l'immense toute-faiblesse

Par quoi l'humble enfance est bénie;

De n'agir sans qu'un rien ne blesse

Notre chair pourtant innocente

Encor même d'une caresse,

Sans que notre œil chétif ne sente

Douloureusement l'éclat même

De l'aube à peine pâlissante,

Du soir venant, lueur suprême,

Sans éprouver aucune envie

Que d'un long sommeil tiède et blême…

En purs bébés que l'âpre vie

Destine,—pour quel but sévère

Ou bienheureux?—foule asservie

Ou troupe libre, à quel calvaire?

SAINTS INNOCENTS

IV

Cruel Hérode, noir Péché,

De tes sept glaives tu poursuis

Les innocents, lesquels je suis

Dans mes cinq sens,—et, qu'empêché

Me voici pour, las! me défendre!

L'argile dont Dieu les forma,

Leur faiblesse à ces tristes sens

Par quoi je suis les innocents

Que l'on immole dans Rama,

Trahissent leur âge trop tendre.

Nulle fuite. Mais mon Sauveur,

Assumant mon sort et ma mort,

Vit en Égypte dont il sort

A temps pour l'insigne faveur

Qu'il me fait de donner sa vie

Et sa pensée à mon bonheur

Éternel, et, par l'action

Sûre de l'absolution

De son prêtre à lui, le Seigneur,

Ressuscite ma chair ravie.

CIRCONCISION

V

Petit Jésus qui souffrez déjà dans votre chair

Pour obéir au premier précepte de la Loi,

Or, nous venons en ce jour saintement doux-amer,

Vous offrir les prémices aussi de notre foi.

Pour obéir, nous autres, à votre obéissance,

Nous apportons sur l'autel le parfait hommage

De nos péchés pénitents à votre innocence,

Sur l'autel blanc où votre sang si pur, notre otage,

Coule mystiquement comme il coula littéral

Au Golgotha, comme il stilla, pas plus réel

Mais littéral aussi, ce jour, dont le rituel

Retient l'anniversaire cruel et lilial,

Et nous circoncisons nos cœurs suivant votre exemple,

Et nous voudrons ressembler à Vous-même, qui fîtes

Le vieux Siméon, dans la solennité du temple,

Exhaler vers vous une allégresse sans limites.

L'ancien Adam qui se désolait dans son espoir

Toujours remis d'enfin voir, de ses yeux, nous meilleurs,

Nous très doux sans plus d'ire rouge ou d'orgueil noir,

Va chanter un fier cantique de joie et de pleurs,

Et dans les cieux les bienheureux et bienheureuses

S'éjouiront plus que de coutume, et les anges,

Pour ce que cette année, elle à peine dans les langes,

Dès son premier souffle, a ces haleines amoureuses.

ROIS

VI

La myrrhe, l'or et l'encens

Sont des présents moins aimables

Que de plus humbles présents

Offerts aux Yeux adorables

Qui souriront plutôt mieux

A de simples vœux pieux.

Le voyage des Rois Mages

Certes agrée au Seigneur.

Il accepte ces hommages

Et les tient en haut honneur;

Mais d'un pécheur qui s'amende

Pour lui la gloire est plus grande.

Dans ce sublime concours

D'adorations premières,

Jésus goûtera toujours

Davantage les prières

Des misérables et leur

Garde un royaume meilleur.

Les anges et les archanges,

Qui réveillent les bergers,

Voix d'espoir et de louanges

Aux hommes encouragés,

Priment dans l'azur sans voile

La miraculeuse étoile…

Riches, pauvres, faisons-nous

Néant devant toi, le Maître,

De Ton saint nom seuls jaloux:

Tu sauras bien reconnaître

Et magnifier les tiens,

Riches, pauvres, tous chrétiens.

KYRIE ELEISON

VII

Ayez pitié de nous, Seigneur!

Christ, ayez pitié de nous!

Donnez-nous la victoire et l'honneur

Sur l'ennemi de nous tous.

Ayez pitié de nous, Seigneur.

Rendez-nous plus croyants et plus doux

Loin du Péché suborneur,

Christ, ayez pitié de nous.

Criblez-nous comme fait le vanneur

Du grain dont il est jaloux.

Ayez pitié de nous, Seigneur.

Nous vous en supplions à genoux,

Ouvrez-nous par la Foi le Bonheur.

Christ, ayez pitié de nous.

Ouvrez-nous par l'Amour le Bonheur,

Nous vous en prions à genoux.

Ayez pitié de nous, Seigneur.

Seigneur, par l'Espérance, ouvrez-nous,

Christ, ouvrez-nous le Bonheur.

Christ, ayez pitié de nous.

Ayez pitié de nous, Seigneur!

GLORIA IN EXCELSIS

VIII

Gloire à Dieu dans les hauteurs,

Paix aux hommes sur la terre!

Aux hommes qui l'attendaient

Dans leur bonne volonté.

Le salut vient sur la terre…

Gloire à Dieu dans les hauteurs!

Nous te louons, bénissons,

Adorons, glorifions,

Te rendons grâce et merci

De cette gloire infinie!

Seigneur, Dieu, roi du ciel,

Père, Puissance éternelle,

O Fils unique de Dieu,

Agneau de Dieu, Fils du père,

Vous effacez les péchés:

Vous aurez pitié de nous.

Vous effacez les péchés:

Vous écouterez nos vœux.

Vous, à la droite du Père,

Vous aurez pitié de nous.

Car vous êtes le seul Saint,

Seul Seigneur et seul Très Haut,

O Jésus, qui fûtes oint

De très loin et de très haut,

Dieu des cieux, avec l'Esprit,

Dans le Père,

Ainsi soit-il.

CREDO

IX

Je crois ce que l'Église catholique

M'enseigna dès l'âge d'entendement:

Que Dieu le Père est le fauteur unique

Et le régulateur absolument

De toute chose invisible et visible,

Et que, par un mystère indéfectible,

Il engendra, ne fit pas Jésus-Christ

Son Fils unique avant que la lumière

Ne fût créée, et qu'il était écrit

Que celui-ci mourrait de mort amère,

Pour nous sauver du malheur immortel

Sur le Calvaire et, depuis, sur l'Autel;

Enfin que l'Esprit saint, lequel procède

Et du Père et du Fils et qui parlait

Par les prophètes, et ma foi qui s'aide

De charité croit le dogme complet

De l'Église de Rome, au saint baptême,

En la vie éternelle.

Vœu suprême.

ASCENSION

X

Jésus au ciel est monté

Pour vous envoyer sa grâce:

Espérance et charité,

Foi qui jamais ne se lasse,

Patience et tous les dons

Que l'esprit porte en ses flammes,

Et les trésors de pardons,

De zèle au salut des âmes,

De courage durant les

Tentations de ce monde,

Ah! surtout, oui, devant les

Tentations de ce monde,

Ces scandales étalés

Tour à tour beaux puis immondes,

Pauvres cœurs écartelés,

Tristes âmes vagabondes!

Jésus au ciel est monté,

Mais en nous laissant son ombre:

L'Évangile répété

Sans cesse aux peuples sans nombre.

Jésus au ciel est monté

Pour mieux veiller, Lui, fait homme,

Sur notre fragilité

Qu'il éprouva… Mais nous, comme

Jésus au ciel est monté

Notre nuit n'y pourrait suivre

Avant la mort sa clarté:

Ah! d'esprit allons y vivre!

VENI, SANCTE…

XI

«Esprit-Saint, descendez en» ceux

Qui raillent l'antique cantique

Où les simples mettent leurs vœux

Sur la plus naïve musique.

Versez les sept dons de la foi,

Versez, «esprit d'intelligence»,

Dans les âmes toutes au moi

Surtout l'amour et l'indulgence

Et le goût de la pauvreté

Tant des autres que de soi-même:

Qu'ils comprennent la charité

Puisqu'ils sont l'élite et la crème.

Qu'ils estiment leur rire sot,

Visant, non le dogme immuable,

Mais l'humble et le faible (un assaut

Dont le capitaine est le Diable).

Au lieu d'ainsi le profaner,

Ce cantique de nos ancêtres,

Qu'ils le méditent, pour donner

Le bon exemple, eux, les grands maîtres.

Et, tandis qu'ils seront en train

D'édifier le paupérisme

D'esprit et d'argent, qu'ils réin-

Tègrent un peu le Catéchisme.

JUIN

XII

Mois de Jésus, mois rouge et or, mois de l'Amour,

Juin, pendant quel le cœur en fleur et l'âme en flamme

Se sont épanouis dans la splendeur du jour

Parmi des chants et des parfums d'épithalame,

Mois du Saint-Sacrement et mois du Sacré-Cœur,

Mois splendide du Sang réel, de la Chair vraie,

Pendant quel l'herbe mûre offre à l'été vainqueur

Un champ clos où le blé triomphe de l'ivraie,

Et pendant quel, nous misérables, nous pécheurs,

Remémorés de la Présence non-pareille,

Nous sentons ravigorés en retours vengeurs

Contre Satan, pour des triomphes que surveille

Du ciel là-haut, et sur terre, de l'ostensoir,

L'adoré, l'adorable Amour sanglant et chaste,

Et du sein douloureux où gîte notre espoir

Le Cœur, le Cœur brûlant que le désir dévaste,

Le désir de sauver les nôtres, ô Bonté

Essentielle, de leur gagner la victoire

Éternelle. Et l'encens de l'immuable été

Monte mystiquement en des douceurs de gloire.

SANCTUS

XIII

Saint est l'homme au sortir du baptême,

Petit enfant humble et ne tétant pas même,

Et si pur alors qu'il est la pureté suprême.

Saint est l'homme après l'Eucharistie.

La chair de Jésus a sa chair investie

De force sage et de divine modestie.

Saint l'homme quand clos ses jours débiles,

Dans l'heur et dans le pardon des Saintes Huiles,

Et l'essor soudain vers des séjours enfin tranquilles.

Les cieux sont pleins, Juste, de ta gloire.

La terre en bas vénérera ta mémoire,

Béni soit celui qui vient au Nom qu'il nous faut croire!

Hosanna sur terre et dans les cieux.

Deux fois hosanna pour l'homme glorieux!

Trois fois hosanna pour Dieu miséricordieux.

IMMACULÉE CONCEPTION

XIV

Vous fûtes conçue immaculée,

Ainsi l'Église l'a constaté

Pour faire notre âme consolée

Et notre fois plus fort conseillée,

Et notre esprit plus ferme et bandé.

La raison veut ce dogme et l'assume.

La charité l'embrasse et s'y tient,

Et Satan grince et l'enfer écume

Et hurle: «L'Ève prédite vient

Dont le Serpent saura l'amertume.»

Sous la tutelle et dans l'onction

De votre chaste et sainte mère Anne,

Vous grandissez en perfection

Jusqu'à votre présentation

Au temple saint, loin du bruit profane,

Du monde vain que fuira Jésus

Et, comme lui, toute au pauvre monde,

Vous atteignez dans de pieux us

L'époque où, dans sa pitié profonde,

Dieu veut que de vous sorte Jésus.

L'ange qui vous salua la mère

Du Rédempteur que Dieu nous donnait

Ne troubla pas votre candeur fière

Qui dit comme Dieu de la lumière:

«Ce que vous m'annoncez me soit fait.»

Et tout le temps que vivra le Maître,

Vous le passerez obscurément,

Sans rien vouloir savoir ou connaître

Que de l'aimer comme il daigne l'être,

Jusqu'à sa mort, prise saintement.

Aussi, quand vous-même rendez l'âme,

Pendant à votre conception

Immaculée, un décret proclame

Pour vous la tombe un séjour infâme,

Vous soustrait à la corruption,

Et vous enlève au séjour de gloire

D'où vous régnez sur l'Ange et sur nous,

Participant à toute l'histoire

De notre vie intime et de tous

Les hauts débats de la grande histoire.

DÉVOTIONS

XV

Sécheresse maligne et coupable langueur,

Il n'est remède encore à vos tristesses noires

Que telles dévotions surérogatoires,

Comme des mois de Marie et du Sacré-Cœur,

Éclat et parfum purs de fleurs rouges et bleues,

Par quoi l'âme qu'endeuille un ennui morfondu,

Tout soudain s'éveille à l'enthousiasme dû

Et sent ressusciter ses allégresses feues,

Cantiques frais et blancs de vierges comme aux temps

Premiers, quand les chrétiens étaient toute innocence,

Hymnes brûlants d'une théologie intense

Dans la sanglante ardeur des cierges palpitants;

Comme le chemin de la Croix, baisers et larmes,

Argent et neige et noir d'or des Vendredis Saints,

Lent cortège à genoux dans la paix des tocsins,

Stabats sévères indiciblement aux si doux charmes,

Et la dévotion, aussi, du chapelet,

Grains enflammés de chaste délire où s'embrase

L'ennui souvent, où parfois l'excès de l'extase

Se consumait au feu des *Ave* qui roulait;

Et celle enfin des saints locaux, Martin de France,

Et Geneviève de Paris, saints du pays

Et des villes et des villages, obéis

Et vénérés avec chacun son espérance

Et son exemple et son précepte bien donné,

Ses miracles!—O mœurs plus intimes du culte,

Eh oui, c'est encor vous, en dépit de l'insulte,

Qui nous sauvez, peut-être, à tel moment donné.

AGNUS DEI

XVI

L'agneau cherche l'amère bruyère,

C'est le sel et non le sucre qu'il préfère,

Son pas fait le bruit d'une averse sur la poussière.

Quand il veut un but, rien ne l'arrête,

Brusque, il fonce avec des grands coups de sa tête,

Puis il bêle vers sa mère accourue inquiète...

Agneau de Dieu, qui sauves les hommes,

Agneau de Dieu, qui nous comptes et nous nommes,

Agneau de Dieu, vois, prends pitié de ce que nous sommes,

Donne-nous la paix et non la guerre,

O l'agneau terrible en ta juste colère,

O toi, seul Agneau, Dieu le seul fils de Dieu le Père.

TOUSSAINT

XVII

Ces vrais vivants qui sont les saints,
Et les vrais morts qui seront nous,
C'est notre double fête à tous,
Comme la fleur de nos desseins,
Comme le drapeau symbolique
Que l'ouvrier plante gaîment
Au faîte neuf du bâtiment,
Mais, au lieu de pierre et de brique,
C'est de notre chair qu'il s'agit,
Et de notre âme en ce nôtre œuvre
Qui, narguant la vieille couleuvre,
A force de travaux surgit.
Notre âme et notre chair domptées
Par la truelle et le ciment
Du patient renoncement
Et des heures dûment comptées.
Mais il est des âmes encor,
Il est des chairs encore comme
En chantier, qu'à tort on dénomme
Les morts, puisqu'ils vivent, trésor
Au repos, mais que nos prières
Seulement peuvent monnayer
Pour, l'architecte, l'employer
Aux grandes dépenses dernières.
Prions, entre les morts, pour maints
De la terre et du Purgatoire,
Prions de façon méritoire

Ceux de là-haut qui sont les saints.

IN INITIO

XVIII

Chez mes pays, qui sont rustiques

Dans tel cas simplement pieux,

Voire un peu superstitieux,

Entre autres pratiques antiques,

Sur la tête du paysan,

Rite profond, vaste symbole,

Le prêtre, étendant son étole,

Dit l'évangile de saint Jean:

«Au commencement était le Verbe

«Et le Verbe était en Dieu.

«Et le verbe était Dieu.»

Ainsi va le texte superbe,

S'épanchant en ondes de claire

Vérité sur l'humaine erreur,

Lavant l'immondice et l'horreur,

Et la luxure et la colère,

Et les sept péchés, et d'un flux

Tout parfumé d'odeurs divines,

Rafraîchissant jusqu'aux racines

L'arbre du bien, sec et perclus,

Et déracinant sous sa force

L'arbre du mal et du malheur

Naguère tout en sève, en fleur,

En fruit, du feuillage à l'écorce.

O Jean, le plus grand, après l'autre

Jean, le Baptiste, des grands saints,

Priez pour moi le Sein des seins
Où vous dormiez, étant apôtre!
O, comme pour le paysan,
Sur ma tête frivole et folle,
Bon prêtre étendant ton étole,
Dis l'évangile de saint Jean.

VÊPRES RUSTIQUES

XIX

Le dernier coup de vêpres a sonné: l'on tinte.
Entrons donc dans l'Église et couvrons-nous d'eau sainte.
Il y a peu de monde encore. Qu'il fait frais!
C'est bon par ces temps lourds, ça semble fait exprès.
On allume les six grands cierges, l'on apporte
Le ciboire pour le salut. Voici la porte
De la sacristie entr'ouverte, et l'on voit bien
S'habiller les enfants de chœur et le doyen.
Voici venir le court cortège et les deux chantres
Tiennent de gros antiphonaires sur leurs ventres.
Une clochette retentit et le clergé
S'agenouille devant l'autel, dûment rangé.
Une prière est murmurée à voix si basse
Qu'on entend comme un vol de bons anges qui passe.
Le prêtre, se signant, adjure le Seigneur,
Et les clers, se signant, appellent le Seigneur.
Et chacun exaltant la Trinité, commence,
Prophète-roi, David, ta psalmodie immense:
«Le Seigneur dit...» «Je vous louerai...» «Qu'heureux les saints...»
«Fils, louez le Seigneur...» et, vibrant par essaims,
Les versets de ce chant militaire et mystique:

«Quand Israël sortit d'Égypte...» Et la musique

Du grêle harmonium et du vaste plain-chant!

L'Église s'est remplie. Il fait tiède. L'argent

Pour le culte et celui du denier de Saint-Pierre

Et des pauvres tombe à bruit doux dans l'aumônière.

L'hymme propre et *Magnificat* aux flots d'encens!

Une langueur céleste envahit tous les sens.

Au court sermon qui suit sur un thème un peu rance,

On somnole sans trop pourtant d'irrévérence.

Le soleil luit faisant un nimbe mordoré,

Le vieux saint du village est tout transfiguré.

Ça sent bon. On dirait des fleurs très anciennes.

S'exhalant, lentes, dans le latin des antiennes.

Et le Salut ayant béni l'humble troupeau

Des fidèles, on rejoint meilleurs le hameau.

Le soir on soupe mieux, et quand la nuit invite

Au sommeil, on s'endort bien à l'aise et plus vite.

COMPLIES EN VILLE

XX

Au sortir de Paris on entre à Notre-Dame.

Le fracas blanc vous jette aux accords long-voilés,

L'affreux soleil criard à l'ombre qui se pâme,

Qui se pâme, aux regards des vitraux constellés,

Et l'adoration à l'infini s'étire

En des récitatifs lentement en-allés,

Vêpres sont dites, et l'autel noir ne fait luire

Que six cierges, après les flammes du Salut

Dont l'encens rôde encor mêlé des goûts de cire.

Un clerc a lu: *Jube, domne*, comme fallut,

Et l'orage du fond des stalles se déchaîne
De rude psalmodie au même instant qu'il lut,
Le bon orage frais sous la voûte hautaine
Où le jour tamisé par les Saints et les Rois
Des rosaces oscille en volute sereine.
Cela parle de paix de l'âme, des effrois
De la nuit dissipés par l'acte et la prière.
L'espérance s'enroule autour des piliers froids.
C'est la suprême joie, et l'extrême lumière
Concentrée aux rais de la seule Vérité,
Et le vieux Siméon dit l'extase dernière!
Recommandons notre âme au Dieu de vérité.

PRUDENCE

XXI

Contrition parfaite,
Les anges sont en fêtes
Mieux d'un pêcheur contrit que d'un juste qui meurt.
Bon propos, la victoire
Préparée et la gloire
Presque déjà dans l'au-delà sans choc ni heurt.
Absolution sainte
Savourée avec crainte
D'en être indigne encor, d'en peut-être abuser.
Rentrée emmi le monde
Et son horreur profonde
Avec un cœur d'amour qui ne sait biaiser,
Car c'est l'amour divine
Qui prévoit et devine
Les pièges, le manège et les tours du Péché.

Garde à toi tout de même,

Gare au trompeur suprême,

Chrétien certes fidèle encore qu'empêché

Par l'extase première

D'avoir vu la Lumière,

Et les yeux éblouis et tous les sens tremblants.

O chrétien nouveau, prie

A la Vierge Marie,

Et marche vers la bonne mort à pas bien lents.

PÉNITENCE

XXII

La luxure, ce moins terrible des péchés,

Ces deux pires de tous, l'Avarice et l'Envie,

La Gourmandise, abus risible de la vie,

Toi, Paresse, leur mère à tous, à ces péchés,

Et la Colère, presque belle en sa hideur,

Avec de faux reflets d'héroïsme, on veut croire,

Et l'Orgueil son grand frère à la gloire illusoire

Et tous dans leur révolte horrible et leur hideur,

Pénitence, presque innocence, tu les vaincs,

Tu les poursuis, tu les arrêtes et les captes,

Sauvant les âmes, par l'excellence des actes,

De l'Enfer et de ses milices que tu vaincs.

Oui, tu nous dictes et fait faire d'excellents

Actes à cause de l'excellence des causes,

Épanouissant, sur les épines de roses

Que la Prière après vient cueillir à pas lents,

Pénitence, du fond de mes crimes affreux,

Luxure, orgueil, colère et toute la filière,

J'invoque ton secours, Vertu particulière,

Seule agréable à Dieu qui voit mon cœur affreux.

OPPORTET HÆRESES ESSE

XXIII

Opportet hæreses esse.

Car il faut, en effet, encore,

Que notre foi, donc, s'édulcore

Opportet hæreses esse.

Il fallait quelque humilité,

Ma Foi qui poses et grimaces,

Afin que tu t'édulcorasses;

Et l'hérésiarque entêté

T'a tenté, ne nous dis pas non,

Jusque vers les pires péchés,

T'entraînant du doute impur chez

Le Diable t'ouvrant son fanon.

Or maintenant, courage! assez

De larmes sur l'erreur d'un jour,

Songe au pardon du Dieu d'amour.

Opportet hæredes esse.

FINAL

J'ai fait ces vers bien qu'un bien indigne pécheur,

O bien indigne, après tant de grâces données,

Lâchement, salement, froidement piétinées

Par mes pieds de pécheur, de vil et laid pécheur.

J'ai fait ces vers, Seigneur, à votre gloire encor,

A votre gloire douce encore qui me tente

Toujours, en attendant la formidable attente

Ou de votre courroux ou de ta gloire encor,

Jésus, qui pus absoudre et bénir mon péché,

Mon péché monstrueux, mon crime bien plutôt!

Je me rementerais de votre amour, plutôt,

Que de mon effrayant et vil et laid péché,

Jésus qui sus bénir ma folle indignité,

Bénir, souffrir, mourir pour moi, ta créature,

Et dès avant le temps, choisis dans la nature,

Créateur, moi, ceci, pourri d'indignité!

Aussi, Jésus! avec un immense remords

Et plein de tels sanglots! à cause de mes fautes,

Je viens et je reviens à toi, crampes aux côtes,

Les pieds pleins de cloques et les usages morts,

Les usages? Du cœur, de la tête, de tout

Mon être on dirait cloué de paralysie

Navrant en même temps ma pauvre poésie

Qui ne s'exhale plus, mais qui reste debout

Comme frappée, ainsi le troupeau par l'orage,

Berger en tête, et si fidèle nonobstant

Mon cœur est là, Seigneur, qui t'adore d'autant

Que tu m'aimes encore ainsi parmi l'orage.

Mon cœur est un troupeau dissipé par l'autan

Mais qui se réunit quand le vrai Berger siffle

Et que le bon vieux chien, Sergent ou Remords, giffle

D'une dent suffisante et dure assez l'engeance

Affreuse que je suis, troupeau qui m'en allai

Vers une monstrueuse et solitaire voie,

O, me voici, Seigneur, ô votre sainte joie!

Votre pacage simple en les prés où j'allai

Naguère, et le lin pur qu'il faut et qu'il fallut,

Et la contrition, hélas! si nécessaire,

Et si vous voulez bien accepter ma misère,

La voici! faites-la, telle, hélas! qu'il fallut.

VERS POSTHUMES

ACTE DE FOI

«Le seul savant c'est encore Moïse»!

Ainsi disais-je et pensais-je autrefois,

Et quand j'y pense encore et, sans surprise,

Me le redis avec la même voix,

Ma conviction, que tous les problèmes

Étalés en vain à mon œil naïf

N'ont point mise à mal, séducteurs suprêmes,

T'affirme à nouveau, dogme primitif.

La doctrine profane et l'art profane

Ont quelque bon, mais, s'ils agissent seuls,

C'est comme des spectres sous des linceuls.

La Genèse est claire, elle est diaphane,

Et par elle je crois avec ardeur

En Dieu, mon fauteur et mon créateur.

PAQUES

Dic, nobis, Maria
quem vidisti in via.

De Rome, hier matin, les cloches revenues,

Exhalent un concert glorieux dans les nues.

L'écho puissant qui flue et tombe de la tour,

Vient magnifier l'air et la terre à leur tour.

L'oiseau, sanctifié par l'or des salves saintes

Lui-même entonne un hymne aimable et las de plaintes,

Clame l'alléluia sur un air de chanson,

Dans l'arbre, au ras des prés, et parmi le buisson.

L'alouette, un motet au bec, s'est envolée;

Le rossignol a salué l'aube emperlée
D'accents énamourés d'un amour plus brûlant,
Et comme lumineux d'un bonheur calme et lent,
Le printemps, né d'hier, allègrement frissonne;
La nature frémit d'aise, et voici que sonne
Partout dans la campagne, au cœur des vieux beffrois,
De l'altier campanile et du palais des rois,
Et de tous les fracas religieux des villes,
Des Paris aux Moscous, des Londres aux Sévilles,
Le frais appel pour l'alme célébration
De l'almissime jour de résurrection…
La colombe vole au sillon et l'agneau broute.
Dis-nous, Marie, qui tu rencontras en route?
Le fleuve est d'or sous le soleil renouvelé…
C'est le Seigneur «en Galilée il est allé!»
—Ah! que le cœur n'est-il lavé dans l'or du fleuve,
Sanctifiée en l'or des cloches l'âme veuve!
Et que l'esprit n'est-il humble comme l'agneau,
Blanc comme la colombe en ce clair renouveau
Et que l'homme, jadis conscience introublée,
N'est-il en route encore pour la Galilée!

ASSOMPTION

Aujourd'hui c'est ma fête et j'ai droit à des fleurs
(Sous mon autre prénom je n'ai droit qu'à mes pleurs),
Car sachez-le bien tous, je m'appelle Marie
Et sous le nom puissant d'une mère chérie
Je me sens protégé du mal et du péché
Qui m'avaient investi grâce au bien négligé.
Je me sais à l'abri d'un monde que j'abhorre

Et dont je ne saurais me séparer encore,

Je me crois défendu contre tout choc et heurt

Par ce nom qui s'en vient prier lorsque l'on meurt.

En ce jour merveilleux de triomphe et de gloire,

Il me semble que j'ai ma part de la victoire.

O ma femme, entrons donc joyeux, c'est notre droit

Dans le bonheur heureux... et le devoir qu'on doit.

PRIÈRE

Me voici devant Vous, contrit comme il le faut.

Je sais tout le malheur d'avoir perdu la voie

Et je n'ai plus d'espoir, et je n'ai plus de joie

Qu'en une en qui je crois chastement, et qui vaut

A mes yeux mieux que tout, et l'espoir et la joie.

Elle est bonne, elle me connaît depuis des ans.

Nous eûmes des jours noirs, amers, jaloux, coupables,

Mais nous allions sans trêve aux fins inéluctables,

Balancés, ballottés, en proie à tous jusants

Sur la mer où luisaient les astres favorables:

Franchise, lassitude affreuse du péché

Sans esprit de retour, et pardons l'un à l'autre...

Or, ce commencement de paix n'est-il point vôtre,

Jésus, qui vous plaisez au repentir caché?

Exaucez notre vœu qui n'est plus que le vôtre.

LE CHARME DU VENDREDI SAINT

La cathédrale est grise admirablement,

Tandis que le jour luit adorablement

Et que les arbres sont verts tout doucement.

Les paysans sont naïfs et de province

Pour la plupart parents, dont la toilette grince,
De parisiens dont l'orgueil n'est pas mince
De les promener autour du fameux monument
Qui, néanmoins froissant l'orgueil de leur village,
Semble à leurs yeux matois quelque chose qui ment
Et va, comme un peu vil dans le sillage
Des bateaux mouches d'ailleurs pleins abondamment
D'une clientèle amusante en diable,
Qui file néanmoins, dévots irrémédiables,
Voir les autels déserts et les tombeaux décorés richement.

Paris, jeudi 30 mars 1893.

II

Le soleil fou de mars éveille encore un peu plus la verdure
Des fins arbres du quai bordant la beauté pure
Et forte de la cathédrale on dirait en guipure
De pierre, on croit, immémoriale et si dure!
Les cloches de la veille ont fui (leur âme, au moins,
S'est tue) et pendent, patients témoins
Muets jusqu'au samedi fier où, lentes sur les foins,
Enfin, elles reviennent (ou, du moins, leur âme
Planant sur les villes légères et les autres)
Et pendant leur voyage de miraculeux apôtres
A travers les humanités chastes et les infâmes,
Dans la nef désolée où seulement les flammes
Des ténèbres sévèrement bien plus sur toutes autres,
S'affligent, grands ouverts, les tabernacles, âmes
Muettes, symbolisent l'attente immense des apôtres.

Vendredi, 31 mars 1893.

EX IMO

O Jésus, vous m'avez puni moralement
Quand j'étais digne encor d'une noble souffrance,
Maintenant que mes torts ont dépassé l'outrance.
O Jésus, vous me punissez physiquement.
L'âme souffrante est près de Dieu qui la conseille,
La console, la plaint, lui sourit, la guérit
Par une claire, simple et logique merveille.
La chair, il la livre aux lentes lois que prescrit
Le «Fiat lux», le créateur de la nature,
Le Verbe qui devait, Jésus-Christ, être vous
Plein de douceur, mais lors faisait la créature
Matérielle et l'autre en tout grand soin jaloux.
La Science, un souci vénérable, tâtonne,
Essaie et, pour guérir, à son tour, fait souffrir,
Et, le fer à la main, comme un bourreau te donne,
Triste corps, un coup tel que tu croirais mourir,
Ou se servant du feu soit flambant, soit sous forme
De pierre ou d'huile ou d'eau raffine ta douleur,
Tu dirais, pour un bien pourtant; mais quel énorme
Effort souvent infructueux, chair de malheur!
Chair, mystère plus noir et plus mélancolique
Que tous autres, pourquoi toi! Mais Dieu *te voulut*
Et tu fus, et tu vis, comment? au vent oblique
Des funestes saisons et du mal qui t'élut.
Et tu fus, et tu vis, comment! miracle frêle,
Et tu souffres d'affreux supplices pour un peu
De plaisir mêlé d'amertume et de querelle.
Oui, pourquoi toi?

Jésus répond: «Pour être enfin

Mienne et le vase pur de l'Esprit de sagesse

Et d'amour et plus tard glorieuse au divin

Séjour définitif de liesse et de largesse!

Encore un peu de temps, souffre encore un instant,

Offre-moi ta douleur que d'ailleurs la science

Peut tarir, et surtout, ô mon fils repentant,

Ne perds jamais cette vertu, la confiance!

La confiance en moi seul! Et je te le dis

Encore: patiente et m'offre ta souffrance.

Je l'assimilerai, comme j'ai fait jadis,

Au Calvaire, à la mienne, et garde l'espérance.

L'espérance en mon Père. Il est père, il est roi,

Il est bonté: c'est le bon Dieu de ton enfance.

Souffre encore un instant et garde bien la foi,

La foi dans mon Église et tout ce qu'elle avance.

Suis humble et souffre en paix, autant que tu pourras.

Je suis là. Du courage. Il en faut en ce monde.

Qui le sait mieux que moi? Lorsque tu souffriras

Cent fois plus, qu'est cela près de ma mort immonde,

Et de mon agonie et du reste? Allons, vois.

C'est fait. Le mal n'est plus: tu peux vivre dans l'aise

Quelques beaux jours encore et vieillir sur ta chaise,

Au soleil, et mourir et renaître à ma voix.»

8 août 1893, hôpital Broussais.

FIN

Milton Keynes UK
Ingram Content Group UK Ltd.
UKHW011228280324
440101UK00007B/669